de Pierre-Paul
à l'Hôpital Hotel Dieu
Février 1998

U.G.E. 10|18
12, avenue d'Italie - PARIS XIIIe

Du même auteur
dans la même série

LE JUDAS DE LÉONARD, n° 1965
LE TOUR DU CADRAN, n° 2159

Chez Christian Bourgois Éditeur
LE TOUR DU CADRAN

LE CAVALIER SUÉDOIS

PAR

LEO PERUTZ

Traduit de l'allemand
par Martine KEYSER

10|18

« Domaine étranger »
dirigé par Jean-Claude Zylberstein

PHÉBUS

Si vous désirez être régulièrement tenu au courant
de nos publications, écrivez-nous :
Éditions 10/18
12, avenue d'Italie
75627 Paris Cedex 13

Titre original:
Der Schwedische Reiter

ISBN-2-264-01164-5

Note

Perutz, dont on vient coup sur coup d'éditer ou de rééditer à Paris quatre titres [1] *(sur la quinzaine qu'il a laissés), est donc en passe de devenir, aux yeux du public de langue française, ce qu'il n'a cessé d'être en Allemagne et dans tant d'autres pays depuis trente ans et plus : l'un des romanciers les plus imaginatifs de ce siècle, et l'un des maîtres les moins contestables, à la suite de Hoffmann et aux côtés de son contemporain Kafka (juif praguois comme lui), de l'« inquiétante étrangeté » en littérature. Jorge Luis Borges ne s'y était pas trompé qui le plaçait d'autorité parmi les monstres les plus séduisants de son panthéon personnel. Un tel parrainage aurait dû faire dresser quelques oreilles. D'autant que les deux romans les plus justement célèbres de Perutz,* le Marquis de Bolibar *(traduit dès les années Trente chez Albin Michel)*

1. *Le Marquis de Bolibar*, Albin Michel, 1986; *La Neige de saint Pierre* et *Turlupin*, Fayard, 1987; *le Judas de Léonard*, Phébus, 1987.

et le Cavalier suédois (chez Seghers un demi-siècle plus tard) existaient en français! Mais qui les avait lus, hormis une mince cohorte de curieux impénitents dont l'enthousiasme, malencontreusement en avance sur l'époque, n'avait suscité que de faibles échos?

Mieux vaut tard que jamais, dira-t-on. Et puis une chose est sûre : « redécouvert » aujourd'hui dans un concert d'éloges comme il s'en entend peu, Perutz a chez nous de beaux jours devant lui. Ceux qui l'avaient d'abord aimé dans Bolibar le retrouveront ici dans une veine étrangement voisine : même usage « perverti » de l'Histoire, même fièvre visionnaire, même pessimisme désabusé, mal tempéré de douloureuse ironie.

Il est vrai qu'à l'époque où il rédige le Cavalier suédois (publié en 1936, soit deux années à peine avant l'Anschluss), la couleur du monde ne prête guère à l'idéalisation de l'aventure humaine. Certes le récit qui nous est donné ici à lire prend deux bons siècles de retard sur l'actualité, mais l'histoire, pour se vouloir ancienne, n'en éveille pas moins à nos oreilles quelques rumeurs cruellement familières...

Nous voici donc transportés en Europe orientale au début du XVIIIe siècle : le jeune roi Charles XII de Suède rêve de se tailler, par le fer et par le feu, un empire qui irait de la Baltique à la mer Noire... et y réussit presque. Comme toujours, le grand homme providentiel (qui séduisit le jeune Voltaire lui-même) divise le cœur des hommes. N'est-il pas le sauveur de la germanité en péril, le porte-glaive de l'Occident face à la barbarie slave ou turque? A moins qu'il ne soit rien d'autre qu'un soudard mégalomane de plus, impatient de « porter la guerre jusque chez les Samoyèdes au-delà de Moscou » à seule fin d'assouvir un rêve puéril de conquête... Le lecteur d'aujourd'hui ne peut s'empêcher d'entendre là une ritournelle à deux voix qu'on lui a servie il n'y a pas si longtemps. Perutz, cela dit, se garde bien d'insister : son propos est ailleurs. Plus que la cruauté des hommes, qu'ils soient princes ou canailles, le tourmente l'absurdité sanglante d'un monde qui n'a même pas besoin de nos turpitudes pour s'avérer un enfer.

Si Bolibar évoquait irrésistiblement Goya, le Cavalier suédois, lui, nous entraîne à l'évidence du côté de Bruegel. Gibets, brasiers de justice, fouets, fers à marquer la chair coupable : tels sont ici les emblèmes privilégiés du destin. Et le héros d'un tel théâtre, quel peut-il être sinon un criminel bon à châtier – le repentir, on s'en rend vite compte, ne changeant pas grand-chose à l'affaire? Tout se passe comme si, à l'heure où l'on s'apprête une fois de plus à vouer son peuple au supplice, Perutz ne pouvait faire autrement que de s'enflammer pour tous les réprouvés de la terre, symboles par excellence de l'humaine condition : ainsi Mancino dans le Judas de Léonard, poète réchappé des fourches patibulaires; ainsi le Voleur, dans les pages qui vont suivre, marqué au front par le signe fatal de la potence.

De Bruegel à Charles XII, l'anachronisme n'est au reste pas si grand qu'on pourrait croire. En cette orée du XVIIIe siècle, l'Europe orientale a bien plus d'un siècle de retard sur l'Histoire – même si les gentils-

hommes s'y appliquent à parler le français comme à Versailles. Au fond de ces contrées oubliées par le Temps, où bataillent papistes, luthériens et orthodoxes, on en est toujours aux guerres de religion. Encore qu'à écouter les hommes d'alors, la foi, à tout prendre, compte moins que l'antique, l'indéracinable superstition, avec son cortège de larves et de fantômes.

Mais la superstition, quoi qu'en puisse penser notre siècle éclairé, n'est-elle pas, toutes époques confondues, la seule réponse dont soit capable le troupeau humain, livré pieds et poings liés aux caprices de l'Histoire? Puisque, de celle-ci, il s'avère assez vain de combattre les aberrations, ne pourrait-on au moins, dans quelque élan de fol espoir, en conjurer par magie les effets pervers? Riposte dérisoire certes. Mais les plus sérieuses parades inventées par l'homme – le doute et la foi – ne le sont pas moins, aux yeux des sages et des saints eux-mêmes.

Perutz, ne l'oublions pas, fut toujours fasciné par la théorie des jeux de hasard, qu'il étudia en mathématicien (un théorème célèbre porte son nom) et en philosophe. Et quel être est plus superstitieux que le joueur? Nous frappe d'ailleurs, à la lecture de ce livre, le recours systématique de l'auteur à toutes les métaphores du jeu. Ainsi suivons-nous pas à pas l'aventure d'un homme qui joue avec audace et talent les meilleures cartes de l'existence... et qui perd. Mauvais coup du sort? Partie truquée d'avance? A moins que le joueur digne de ce nom ne soit précisément celui qui a compris d'emblée qu'il est inutile ici de chercher à gagner, et dont tout l'art consiste seulement à perdre avec élégance. En quoi Perutz nous renvoie à l'obsession fondatrice de toute la littérature de ce siècle : soit le nécessaire et impossible mariage de l'absurde et de la liberté que suppose toute espèce de jeu – et d'abord celui de l'existence.

Car si l'homme perd toujours in fine, il ne peut s'empêcher, quelque avertissement qu'il reçoive en cours de route, de chercher à marquer des points contre l'inéluctable – en surveillant de près les autres joueurs, par exemple, vite suspectés d'avoir en main les meilleures cartes. On ne joue jamais seul. Qui a jamais vécu sans compter ses points et ceux d'autrui ? Et qui n'a jamais rêvé, doutant de ses propres cartes, de se voir confier par quelque tour de passe-passe le jeu du rival honni ? La littérature romanesque depuis les Mille et une Nuits a fréquemment brodé sur ce thème, le plus riche peut-être : la substitution d'identité. Le Stevenson de Dr. Jekyll et Mr. Hyde, le Nabokov de la Méprise ou récemment Patricia Highsmith dans ses tortueux récits nous ont permis d'explorer, avec un délicieux frisson, ces galeries où le Moi s'égare pour mieux tromper son monde. Perutz s'y était déjà essayé dans Turlupin (1924). Il récidive ici, mais en augmentant singulièrement l'enjeu. Celui qui a réussi à se faire passer pour l'Autre, vivant sans cesse dans la crainte d'être démasqué, assure cette fois-ci son jeu en misant jusqu'à son âme. Ainsi, à l'instant d'être découvert, s'entend-il contre toute attente confirmer dans son mensonge. C'est que celui qui a osé, tel Faust, risquer l'atout suprême a toujours ici-bas une main d'avance sur ses partenaires timorés.

Et n'en tombe que de plus haut à l'heure du grand règlement de comptes...

Du coup, le roman lui-même, comme en écho à cette chute que l'on sent vite inéluctable, résonne de bout en bout des plus troublantes harmoniques. Perutz en avait parfaitement conscience, qui considéra toujours le présent récit comme son œuvre la plus complexe, la mieux inspirée. Le fait est que le Cavalier suédois *fait partie de ces livres, rares, qu'on a un plaisir particulier à relire : car le souvenir de l'issue finale éclaire alors d'un jour neuf tel passage apparemment anodin, tel geste d'abord inaperçu, telle parole à laquelle on n'avait guère prêté attention, et qui se révèlent au bout du compte comme les pièces essentielles d'un puzzle diabolique. Comme si l'auteur cherchait à nous faire entendre entre les lignes qu'une vie ne peut jamais être déchiffrée qu'à la seule lumière de la « fin de partie » qui en aimante tout le cours d'une façon invisible. Les jeux sont faits dès le départ, nous le savons. Mais nous ne savons jamais de quoi ils sont faits, aveugles que nous sommes aux signes cachés que le destin, maître du jeu, glisse ironiquement sous nos pas.*

J.P.SICRE
1987

PROLOGUE

Maria Christine, née von Tornefeld, veuve von Rantzau, épouse en secondes noces de Reinhold Michael von Blohme, conseiller d'État à la cour de Danemark et ambassadeur extraordinaire, fut en sa jeunesse une beauté très entourée. Elle avait cinquante ans lorsqu'elle écrivit ses mémoires, vers le milieu du XVIIIe siècle. Cet opuscule qu'elle intitula *Tableaux de ma vie, couleurs et figures* ne parut que plusieurs décennies après sa mort. L'un de ses petits-fils le fit connaître à un cercle d'intimes au début du XIXe siècle.

Si le titre est ambitieux, il faut reconnaître qu'il est en grande partie justifié. L'auteur, à une époque troublée, a voyagé de par le monde; elle a suivi son époux, le conseiller danois, dans tous ses déplacements, allant même jusqu'à Ispahan, à la cour du redoutable Nadir-Shah. Plus d'une page captiverait le lecteur d'aujourd'hui. Dans l'un des premiers chapitres, on trouve par exemple un récit impressionnant touchant l'expulsion des paysans protestants de l'archevêché de Salzbourg. Ailleurs, l'auteur décrit la révolte des scribes de Constantinople, que la fondation d'une imprimerie avait privés de leur gagne-pain. Elle brosse une peinture très vivante des exorcistes de Reval et de la brutale répression que subit cette secte d'exaltés. A Herculanum, elle a assisté – pour citer ses propres paroles – aux premières « découvertes qui ont permis d'arracher à la terre statues et bas-reliefs exécutés dans le marbre », sans bien mesurer, à dire vrai, l'importance de l'événement; et à Paris, elle a roulé dans un carrosse, « lequel, sans chevaux, par son seul mouvement interne », a parcouru près de douze milles français en moins de deux heures de temps.

Elle se lia de surcroît à quelques-uns des plus grands esprits de son siècle. Lors d'un bal masqué à Paris, elle fit la connaissance du jeune Crébillon dont il semble qu'elle ait été la maîtresse d'un temps. Elle eut, avec Voltaire, une longue conversation à l'occasion d'une cérémonie franc-maçonnique à Lunéville, et elle retrouva ce dernier quelques années plus tard à Paris, le jour où il fut reçu à l'Académie. Elle compta également plusieurs savants parmi ses amis, dont M. de Réaumur et le professeur de physique expérimentale M. de Muschenbroeck qui fut l'inventeur de la bouteille de Leyde. Quant à l'histoire de sa rencontre avec le « célèbre maître de chapelle, monsieur Bach de Leipzig », qu'elle entendit jouer de l'orgue en l'église du Saint-Esprit de

Potsdam, en mai 1741, elle ne manque pas de charme.

Mais ce qui produit la plus vive impression sur le lecteur est cette partie du livre où Maria Christine von Blohme évoque, en termes exaltés mais d'une tendresse toute poétique, la figure de son père, lequel lui fut ravi de bonne heure et qu'elle nomme le « Cavalier suédois ». La disparition de ce père, les circonstances particulièrement troublantes de ce tragique événement ont jeté une ombre sur ses jeunes années.

Maria Christine von Blohme avait vu le jour en Silésie, au domaine de ses parents. Toute la noblesse des environs était venue saluer sa naissance. De son père, le « Cavalier suédois », elle ne conservait qu'une image floue. « Il avait des yeux redoutables, dit-elle, mais lorsqu'il me regardait, le ciel s'ouvrait au-dessus de moi. »

Lorsqu'elle eut six ou sept ans, son père quitta le domaine pour se rendre en Russie, « sous les funestes bannières de Charles XII, le roi de Suède », dont la gloire emplissait le monde en ce temps-là. « Mon père était d'origine suédoise, écrit-elle, aussi les larmes et les supplications de ma mère ne purent-elles le retenir. »

Mais avant qu'il ne saute en selle, l'enfant cousit en secret un petit sac de sel et de terre dans la doublure de sa redingote : elle avait agi sur le conseil d'un des deux palefreniers de son père, qui lui avait assuré que c'était là un moyen infaillible pour lier à jamais deux êtres.

Plus loin, le livre mentionne à nouveau ces deux palefreniers de messire von Tornefeld : Maria Christine von Blohme raconte qu'ils lui apprirent à jurer et à jouer de la guimbarde, cette seconde pratique ne lui ayant été, au demeurant, d'aucune utilité dans la vie.

Quelques semaines après que son père eut rejoint l'armée suédoise, la petite Maria Christine fut réveillée une nuit par un bruit contre ses volets. Elle crut tout d'abord que c'était « Hérode, une espèce de roi fantôme ou légendaire », dont elle avait souvent peur la nuit. Mais c'était son père : le « Cavalier suédois ». Elle ne s'étonna pas, elle savait qu'il viendrait : le sel et la terre cousus dans sa redingote le ramenaient à elle. Ce fut un échange fiévreux de questions chuchotées, de paroles tendres. Puis tous deux se turent. Il prit le visage de l'enfant entre ses mains. Elle pleura doucement, de joie d'abord, puis de tristesse lorsqu'il lui dit qu'il devait repartir.

Un quart d'heure plus tard, il avait disparu.

Il revint, mais toujours la nuit. Parfois elle s'éveillait juste avant qu'il ne frappât aux volets. Il lui arrivait de venir deux nuits de suite, puis trois, quatre, cinq nuits s'écoulaient sans qu'il parût. Jamais il ne restait plus d'un quart d'heure.

Des mois passèrent ainsi. La petite Maria Christine ne parla à personne des visites nocturnes du « Cavalier suédois », pas même à sa mère. Pourquoi? Elle ne se l'expliqua jamais bien clairement. Il n'est pas impossible que le « Cavalier suédois » lui ait demandé le silence. Elle a pu craindre également qu'on ne la crût pas ou pis, qu'on se rît d'elle et que son aventure nocturne s'en trouvât reléguée parmi les songes ou les caprices de l'imagination.

A l'époque où le « Cavalier suédois » apparaissait la nuit devant la fenêtre de Maria Christine, des courriers qui venaient de Russie et changeaient de montures au domaine apportaient des nouvelles de l'absent, et parlaient de son avancement au sein de l'armée suédoise.

Le roi l'avait remarqué pour sa bravoure et l'avait nommé chef de cavalerie du Götaland et, plus tard, commandant du régiment de dragons de Småland. A la tête de ses dragons, il avait, grâce à son initiative hardie, assuré la victoire des armes suédoises lors de la bataille de Golskva. En cette occasion, le roi l'avait serré dans ses bras et baisé sur les deux joues en présence de toute l'armée.

La mère de Maria Christine s'inquiétait de ce que « son amant et ami ne lui fît pas savoir *par écrit* [1] ce qu'il advenait de lui dans l'armée suédoise. Mais, en campagne, se consolait-elle, il ne lui est sans doute pas possible d'expédier ne serait-ce qu'une ligne. »

Vint l'été et un certain jour de juillet qui se grava à jamais dans la mémoire de l'enfant.

« Il était près de midi, écrit-elle quarante ans plus tard, nous étions au jardin, ma mère et moi, parmi les framboisiers et les églantiers, à l'endroit où une effigie du petit dieu païen gisait dans l'herbe. Ma

1. En français dans le texte.

mère portait une robe bleu lavande et gourmandait le chat qui avait pillé un nid d'oiseaux. Mais le chat voulait jouer avec elle; il fit le dos rond et ma mère ne put s'empêcher de rire. A cet instant, on annonça qu'un courrier suédois venait d'arriver.

» Ma mère courut aux nouvelles et ne revint pas au jardin. Mais une heure plus tard tout le domaine parlait d'une grande bataille qui avait eu lieu à Poltava. L'armée suédoise avait été battue, le roi était en fuite. On m'apprit que je n'avais plus de père. Messire Christian von Tornefeld, mon père, était tombé dès le commencement de la bataille : une balle avait fauché le cavalier; on l'avait enterré il y avait trois semaines de cela.

» Je refusai d'y croire. Car il n'y avait pas deux jours, mon père avait frappé à ma fenêtre et parlé avec moi.

» En fin d'après-midi, ma mère me manda.

» Je la trouvai dans la " grand-salle". Elle ne portait plus sa robe lavande, et depuis cette heure, je ne l'ai plus jamais vue qu'en robe de deuil.

» Elle me prit dans ses bras et m'embrassa. D'abord elle ne put prononcer un mot.

» – Mon enfant! me dit-elle enfin avec des larmes dans la voix. Ton père est tombé à la guerre des Suédois. Il ne reviendra plus. Joins les mains et dis un Notre Père pour le repos de son âme.

» Je fis non de la tête. Comment pouvais-je prier pour l'âme de mon père puisque je savais qu'il était en vie?

» – Il reviendra, dis-je.

» Les yeux de ma mère s'emplirent à nouveau de larmes.

» – Il ne reviendra pas, sanglota-t-elle. Il est au ciel. Joins les mains, un enfant doit obéir : tu vas dire un Notre Père pour l'âme de ton père.

» Comme je ne voulais pas la peiner davantage en me dérobant à cette obligation, je me mis à prier. Non pour l'âme de mon père, cependant, lequel était bien vivant.... Et voilà que portant les yeux au dehors, j'aperçus sur la route un cortège funéraire qui descendait la colline. Une simple charrette convoyait le cercueil. Le charretier fouettait le cheval. Un vieil homme, un prêtre, composait à lui seul toute l'assistance.

» Ce devait être un vieux vagabond qu'on portait en terre et c'est pour l'âme de ce pauvre hère que je prononçai un Notre Père, priant Dieu de lui donner la paix éternelle.

» Quant à mon père, le " Cavalier suédois ", écrit pour finir Maria Christine von Blohme, il n'est pas revenu. Jamais plus il ne m'a réveillée par ses coups légers contre les volets. Comment a-t-il pu combattre et tomber dans les rangs de l'armée suédoise et, dans le même temps, venir si souvent dans notre jardin la nuit, pour parler avec moi; et s'il n'est pas tombé, pourquoi n'est-il jamais revenu frapper à ma fenêtre? – voilà qui est resté pour moi, ma vie durant, un mystère, un insondable et douloureux mystère. »

L'histoire du « Cavalier suédois » va maintenant vous être contée... C'est l'histoire de deux hommes, lesquels se rencontrèrent dans une grange, un jour de l'hiver 1701 où il gelait à pierre fendre. Ils y scellèrent un pacte d'amitié. Après quoi tous deux cheminèrent de compagnie, sur la route qui va d'Oppeln jusqu'à la frontière de Pologne, à travers la campagne enneigée de Silésie...

PREMIÈRE PARTIE

Le voleur

Ils s'étaient tenus cachés tout le jour et, à présent qu'il faisait nuit, ils traversaient une forêt de pins clairsemés. Les deux hommes, qui avaient de bonnes raisons d'éviter les rencontres, devaient veiller à ne pas être vus. L'un était un vagabond, un maraudeur de foire réchappé du gibet, l'autre était un déserteur.

Le voleur, qu'on nommait Piège-à-Poules dans le pays, supportait aisément les tribulations de cette marche nocturne car, tous les hivers que Dieu fait, il avait connu le froid et la faim. Mais l'autre, Christian von Tornefeld, faisait triste figure. C'était un jeune homme à peine sorti de l'adolescence. La veille, alors qu'ils se trouvaient cachés sous des claies de joncs tressés, dans le grenier d'une ferme, il s'était targué de courage et avait dépeint la fortune et la vie somptueuse qui l'attendait. Il avait un cousin, du côté maternel, qui possédait un domaine dans la région. Ce dernier ne manquerait pas de l'accueillir et de lui fournir de l'argent, des armes et des vêtements, ainsi qu'un cheval pour passer en Pologne. Une fois de l'autre côté de la frontière, la partie serait gagnée. Il était las de servir dans des armées étrangères. Son père avait dû quitter la Suède, où ces messieurs les conseillers l'avaient spolié de son domaine, le réduisant à la pauvreté. Mais lui, Christian von Tornefeld, demeurait suédois dans son cœur. Où était sa place, sinon dans l'armée suédoise! Il espérait ne pas démériter aux yeux du jeune roi que Dieu avait envoyé sur terre dans le but de châtier la félonie des grands. A dix-sept ans, Charles de Suède avait remporté la fameuse victoire de Narva. Oui, la guerre était juste pour qui savait déployer le courage nécessaire!

Le voleur l'avait laissé parler. Au temps où il était encore valet de ferme en Poméranie, il gagnait huit thalers par an, dont six allaient au roi de Suède. Les rois, c'est le diable qui les envoyait sur terre pour y anéantir le manant. Aussi n'avait-il prêté attention au discours de Christian von Tornefeld que lorsque celui-ci s'était mis à parler du puissant arcane qui, à l'entendre, devait l'aider à obtenir une charge à la cour de Sa très gracieuse Majesté. Le voleur connaissait la valeur du talisman en question : le parchemin consacré, où figuraient des formules hébraïques et latines, avait le pouvoir de tirer quiconque de l'embarras. Lui-même en avait possédé un jadis, qu'il gardait avec soin par-devers soi, à l'époque où il tirait le diable par la queue sur les marchés. Il s'en était dessaisi contre la piètre somme de deux schillings et, sitôt l'argent dilapidé, la fortune lui avait tourné le dos.

A présent qu'ils allaient parmi les pins enneigés, fouettés au visage par le vent chargé de grésil, Christian von Tornefeld ne parlait plus de son courage, de la guerre ni du roi de Suède. Il se traînait en haletant, la tête basse, et lorsqu'il lui arrivait de butter contre une racine, c'est à peine s'il avait la force de gémir. Il avait faim; des raves gelées, des faines, quelques racines déterrées à grand-peine avaient été leur pitance de ces derniers jours. Mais la faim n'était rien, comparée au froid. Les joues de Christian von Tornefeld semblaient une cornemuse vide; il avait les doigts bleuis et gourds et, sous l'étoffe dont il avait emmitouflé sa tête, ses oreilles lui faisaient mal. Tandis qu'il titubait dans la tempête, il rêvait non de hauts faits mais de gants épais et de bottes fourrées de lapin, d'une généreuse litière de paille et de couvertures de cheval, tout près d'un poêle à s'y brûler.

Il faisait jour lorsqu'ils quittèrent la forêt. Une mince couche de neige soulignait les champs, les prés et les friches. Des coqs de bruyère volaient dans la lumière blême de l'aube. Ici et là, un bouleau solitaire dont la bourrasque emmêlait les branches. A l'est s'étirait le mur blanc du brouillard : il palpitait, ondoyait, engloutissant les villages, les fermes, les landes, les forêts et les champs.

Le voleur cherchait un refuge où passer le jour, mais pas une maison, pas une grange alentour, pas même un fossé ni un couvert d'arbres ou de taillis. Quelque chose pourtant alerta son attention, et il se baissa pour examiner le sol. La neige avait été foulée. A cet endroit des cavaliers avaient mis pied à terre et fait halte. L'œil exercé du vagabond identifia les traces qu'avaient laissées les crosses de mousquets et les pioches : des dragons avaient bivouaqué autour d'un feu. Quatre d'entre eux étaient repartis vers le nord et trois vers l'est.

C'était donc une patrouille. Qui cherchait-elle? Toujours accroupi, le voleur jeta un regard à son compagnon tout recroquevillé et tremblant de froid sur une borne du chemin. Le jeune homme était si pitoyable que le voleur jugea prudent de ne souffler mot des dragons, afin de ne pas ruiner ce qui lui restait de courage.

Sentant qu'on le regardait, Christian von Tornefeld ouvrit les yeux et se mit à frotter ses mains gelées.

– Qu'as-tu trouvé dans la neige? demanda-t-il d'une voix plaintive. Si ce sont des raves, ou un trognon de chou, donne-moi ma part comme il fut convenu. N'avons-nous pas juré de nous assister mutuellement et de tout partager? Une fois chez mon cousin...

– Par ma foi, je n'ai rien trouvé, répliqua le voleur. Comment trouverais-je des raves dans un champ où l'on a semé le blé d'hiver? Je voulais juste vérifier l'état de la terre.

Ils conversaient en suédois car le voleur était né en Poméranie et avait servi chez un hobereau originaire de Suède. Il prit sous la neige une poignée de terre qu'il écrasa entre ses doigts.

– La terre est bonne, dit-il en reprenant sa marche, c'est de la terre rouge, celle dont Dieu fit Adam. Le boisseau de grain devrait donner près du double.

Le valet de ferme s'était réveillé en lui. Il connaissait bien la terre pour avoir poussé la charrue dans sa jeunesse.

– Près du double, répéta-t-il. M'est avis que le seigneur de ces terres a un piètre intendant et des valets bien négligents. Le domaine est géré en dépit du bon sens : on a bien trop tardé pour les semailles d'hiver. Les grands froids sont venus, la herse a dû attendre, le grain aura gelé dans la terre.

Il n'y avait personne pour l'écouter. Tornefeld s'efforçait de le suivre et ses pieds meurtris le faisaient gémir à chaque pas.

– Il n'est pourtant pas difficile, par ici, de trouver d'honnêtes semeurs et des laboureurs capables de passer la charrue et la herse. Si tu veux mon avis, le maître lésine sur le personnel et ne loue que des fainéants à vil prix. Les semailles d'hiver demandent un sol relevé au milieu afin que l'humidité s'écoule dans le sens du sillon. Le laboureur n'y a pas pris garde et le champ est gâté pour plusieurs années; la mauvaise herbe va s'en donner à cœur joie. Et regarde de ce côté-ci : il a remué le sol trop profondément et la mauvaise terre affleure – tu vois?

Tornefeld ne voyait rien, n'entendait rien. Il ne

comprenait pas pourquoi il lui fallait continuer de marcher; ils allaient sans trêve, bien qu'il fît grand jour, et le chemin n'en finissait pas.

– Même le berger trompe son maître, poursuivait le voleur. J'ai vu quelques traces d'engrais dans les champs : cendres, limon, sciure et compost, mais de fumier de mouton, point. Or le fumier de mouton est bon pour tous les sols. M'est avis que le berger le vend pour son propre compte.

Il se mit à réfléchir : quel seigneur pouvait bien engager des valets si retors et si incompétents?

– Un vieillard, dit-il, un vieillard goutteux qui ne se déplace qu'avec peine et ignore ce qui se passe sur ses terres. Il couve son poêle toute la sainte journée et passe son temps à tirer sur sa pipe et à oindre ses jambes de jus d'oignon. Ses valets lui content ce qu'ils veulent et il se fait voler comme dans un bois.

De tout ce discours Tornefeld n'avait retenu qu'une chose : son compagnon évoquait enfin la chaleur d'un poêle. Il se vit alors pénétrant dans une douillette chaumière et le délire s'empara de son esprit.

– Aujourd'hui, c'est la Saint-Martin, murmura-t-il. On festoie tout le jour en Allemagne. Les fourneaux rougeoient, les poêlons chantent et le délicieux pain noir emplit le four des manants. Nous franchissons le seuil de la maison et aussitôt l'hôte nous honore du meilleur quartier de son oie. La bière de Magdebourg, le rosoglio et un bitter espagnol viennent arroser ce banquet! Vide ta coupe, frère!

Je bois à ta santé! Longue vie à toi, frère, et que Dieu te bénisse!

Il s'arrêta, brandit le verre qu'il croyait tenir à la main et salua à droite et à gauche. Ce faisant, le pied lui manqua, et il serait tombé en avant si le voleur ne l'avait saisi à l'épaule pour le retenir.

– Regarde droit devant toi et cesse de rêver! dit-il. La Saint-Martin est passée depuis longtemps. Et maintenant avance et ne trébuche plus, on dirait une vieille sur son bâton.

Tornefeld tressaillit et revint à lui... C'en était fait du paysan, du fourneau qui fume, de l'oie rôtie et de la bière de Magdebourg, il était en pleins champs, le visage fouetté par la bise. La désolation l'envahit de nouveau, nulle part il ne voyait d'issue, de terme à sa détresse. Il se laissa glisser à terre et s'étendit.

– Es-tu devenu fou? s'écria le voleur. Sais-tu ce qui t'attend si tu restes ici et s'ils te prennent? A coup sûr, le bâton, le gibet, le carcan ou le chevalet.

– Pour l'amour de Dieu, laisse-moi, je n'en puis plus, gémit Tornefeld.

– Lève-toi, insista le voleur. Veux-tu passer par les verges ou te faire prendre?

Et soudain la rage le prit de s'être embarrassé de ce blanc-bec qui ne savait que geindre et se faire servir. Seul, il serait en lieu sûr depuis longtemps. Si les dragons l'arrêtaient, ce jouvenceau en serait cause. Furieux de sa propre sottise, il s'en prit au jeune homme :

– Pourquoi t'es-tu enfui de ton régiment si tu es si pressé de tâter du gibet? Il aurait mieux valu pour toi et pour moi que tu te fasses pendre sans barguigner.

– Je voulais avoir la vie sauve, gémit Tornefeld, voilà pourquoi je me suis enfui. Le tribunal de guerre m'a condamné à mort.

– Sot que tu es! Qui donc t'a demandé de souffleter ton commandant? Tu aurais dû te plier en attendant que le vent tourne. Tu serais resté mousquetaire et mènerais grand train à l'heure qu'il est. Vois l'ornière où tu t'es mis, et ta triste figure.

– Il avait osé outrager la personne de Sa Majesté, murmura Tornefeld, le regard buté. Il l'a traité de jeune libertin et de Balthazar orgueilleux qui ne jure que par la Bible pour mieux faire oublier ses turpitudes. N'aurais-je pas été un gredin de laisser parler ainsi de mon roi?

– Je préfère six gredins à un imbécile. Que t'importe le roi?

– J'ai fait mon devoir de Suédois, de soldat et de gentilhomme, répondit Tornefeld.

Le voleur eut la tentation de le planter là et de filer. Mais en entendant ces paroles, il lui vint à l'esprit que lui aussi avait son honneur, celui des vagants, et que cet enfant couché à même le sol gelé n'était plus un gentilhomme, en dépit de toutes ses grandes phrases, mais, au même titre que lui, un membre de la vaste confrérie des indigents. Il eût manqué à son honneur en l'abandonnant. A nouveau il tenta de lui faire entendre raison :

– Lève-toi, frère, au nom du ciel, lève-toi! Les dragons sont à nos trousses, ils te recherchent. Pour l'amour de Jésus, veux-tu nous conduire tous deux au gibet! Songe au prévôt, songe à la bastonnade! Songe que dans l'armée impériale on pend les déserteurs après les avoir fait courir neuf fois autour du bois de justice, sous une volée de coups.

Tornefeld se releva et regarda autour de lui d'un air égaré. A l'est, le vent avait déchiré le pan de brouillard et l'horizon se dessinait. Le voleur vit alors qu'il était sur le bon chemin et touchait à son but.

Il aperçut, droit devant, le moulin abandonné et, plus loin, les joncs des marais, la lande puis les collines et les forêts obscures. Ces forêts, ces collines lui étaient familières. C'étaient les terres de l'évêché... avec leur forge et leur bocard, leurs carrières, leurs fonderies et leurs fours à chaux. Là régnaient le feu et l'évêque despote que tout le pays surnommait « l'ambassadeur du diable ». Et le voleur crut voir, au fond de l'horizon, les flammes des chaufours dont il s'était jadis enfui. Où que le regard se portât ce n'étaient que flammes violettes, pourpres, mêlées à la fumée noire. Là gémissaient les morts-vivants enchaînés aux charrettes, les voleurs de grand chemin et les vagants qui avaient été ses frères – ensemble ils avaient choisi cet enfer pour échapper au gibet. Comme lui jadis, ils arrachaient, une à une, de leurs mains nues, les pierres des carrières de l'évêque, une vie durant; ils sortaient du four les résidus incandescents, debout jour et nuit devant la gueule vomissante, à peine protégés par l'étroit auvent de bois qu'ils surnommaient entre eux le

« cercueil ». Le feu leur brûlait le front et les joues – ils ne le sentaient plus : ils ne sentaient que le fouet du bailli et de ses valets qui les exhortaient à la tâche.

Et c'était là que le voleur voulait retourner! Ce lieu était pour lui le dernier refuge. Car le pays comptait plus de gibets que de clochers, et il savait que le chanvre qui devait le pendre était déjà peigné et cordé.

Le voleur se détourna, avisa le moulin. Il était à l'abandon depuis mainte année; la porte était verrouillée, les volets clos. Le meunier était mort. Dans le pays le bruit courait qu'il s'était pendu parce que le bailli de l'évêque, ou son vidame, avait saisi le moulin, l'âne et les sacs de farine. Mais sous les yeux du vagabond, les ailes tournaient à présent, l'axe du grand arbre grinçait et de la fumée montait du logis.

Une légende, bien connue du voleur, circulait à travers le pays. On se disait de bouche à oreille que le fantôme du meunier sortait de sa tombe une fois l'an et qu'il faisait tourner son moulin toute une nuit afin de rembourser un pfennig à l'évêque auprès duquel il était encore en dette. Mais ce n'étaient que balivernes, le voleur le savait. Les morts ne bougeaient pas de leurs tombes. D'ailleurs il faisait jour. Si les ailes du moulin tournaient dans le soleil d'hiver, cela signifiait tout simplement que le moulin avait un nouveau propriétaire.

Le voleur se frotta les mains et redressa les épaules.

– Il semble que nous aurons bientôt un toit sur la tête, dit-il.

– Tout ce que je demande, murmura Tornefeld, c'est un quignon de pain et une botte de paille.

L'autre se mit à rire.

– Tu ne penses tout de même pas qu'un lit de plumes à rideaux de soie t'attend ici? railla-t-il. Et pourquoi pas un potage français et des gâteaux arrosés de vin hongrois?

Tornefeld ne répondit pas. Le voleur et le gentilhomme prirent de compagnie le chemin qui montait au moulin.

La porte n'était pas verrouillée mais le meunier n'était ni dans la cuisine ni dans la chambre. C'est en vain qu'ils le cherchèrent au grenier, le moulin était désert. La maison pourtant devait être habitée car un feu de bois achevait de brûler dans l'âtre et, sur la table, se trouvait un plat de saucisse accompagné d'une miche de pain et d'un cruchon de petite bière.

Le voleur jeta à la ronde un regard suspicieux, il savait d'expérience qu'on ne dressait pas une table pour ceux qui n'avaient pas un kreutzer en poche. Il eût volontiers pris l'escampette avec le pain et la saucisse. Mais, dans la tiédeur de la pièce, Tornefeld retrouvait son entrain. Le couteau à la main, ce dernier s'attabla comme si le meunier avait fumé et grillé la saucisse à son intention.

– Bois et mange, frère! dit-il. Voici qui rompt avec ton ordinaire. C'est moi qui régale. Bois, frère! A ta santé et à celle de tous les braves soldats! Vivat Carolux rex! Es-tu luthérien, frère?

– Luthérien ou papiste, c'est selon, fit le voleur en s'attaquant à la saucisse. Quand je vois des statues de saints et des chapelles votives au bord des chemins, je dis un Ave Maria à qui me croise. Quand je vais en pays luthérien, je ne jure que par le Notre Père.

– Quelle hérésie! s'indigna Tornefeld en étirant les jambes sous la table. Entre Pierre et Paul il faut choisir. A ce train tu perdras ton âme pour l'éternité. Moi, je relève de l'église protestante et me ris bien du pape et de ses décrets. C'est Charles de Suède qui est le berger de tous les luthériens : bois avec moi à sa santé et à la mort de tous ses ennemis!

Il leva son verre, le vida et reprit :

– Et le prince électeur de Saxe qui s'allie contre lui au tsar moscovite! Voilà qui ne manque pas de piquant. Qu'on imagine le bouc et le bœuf se liguant contre le noble cerf! Sers-toi, frère, régale-toi. Ici je suis l'hôte, le maître queux, le serviteur et le sommelier. J'avoue que la cuisine laisse à désirer. Pour ma part, je n'aurais pas dédaigné une galette ou quelque viande rôtie car mon estomac réclame un mets chaud.

– Hier pourtant tu ne crachais pas sur le menu froid, tu ramassais les raves gelées sans te faire prier, railla le voleur.

– Oui, frère, convint Tornefeld. Quelles terribles journées, quelle fatigue inouïe! J'ai bien cru que je n'y résisterais pas. Je voyais déjà mon cortège mortuaire avec les flambeaux, les couronnes, les porteurs et le cercueil de bois. *Enfin* [1] – je vis : Dieu soit loué, j'ai là un sauf-conduit qui me préserve de la Faucheuse. Avant deux semaines je serai dans les retranchements aux côtés de mon roi.

Il tapota la poche de sa redingote où il serrait ce qu'il nommait son arcane. Puis il se mit à siffler l'air d'une sarabande et tambourina en cadence.

Le voleur sentait de nouveau la colère monter en lui contre ce freluquet de noble souche, qui tout à l'heure encore gémissait, prostré dans la neige. Il s'était donné toutes les peines du monde pour l'amener ici et voilà que le jouvenceau prenait ses aises et sifflotait comme si le monde était son vassal. Le voleur qu'il était n'avait d'autre issue que d'être un mort parmi les morts, rivé au bocard de l'évêque et à la fournaise de ses fonderies, quand ce godelureau courait le monde avec son arcane et cueillait la gloire et le butin ! Il aurait donné cher pour voir ce fameux arcane; il tenta de fléchir Tornefeld en lui décochant quelques pointes :

– Ne le prends pas mal, frère, mais tu vas à la guerre comme d'autres courent à la kermesse, commença-t-il. M'est avis que tu devrais commencer par apprendre à battre le blé des manants et à curer leurs écuries. Car la guerre, crois-moi, est un quignon ingrat et ce ne sont pas des dents comme les tiennes qui en viendront à bout.

Tornefeld cessa de siffloter et de tambouriner.

– Je ne rougirais point d'être valet de ferme,

1. En français dans le texte.

répondit-il. C'est un état respectable et Gédéon battait le grain lorsque l'ange lui apparut. Mais nous autres, nobles suédois, sommes nés pour la guerre, non pour les travaux de ferme.

– Je voulais juste dire, précisa le voleur, que je te vois mieux derrière un poêle que face à l'ennemi.

Tornefeld ne cilla pas. Seule sa main trembla et il reposa la cruche qu'il s'apprêtait à porter à ses lèvres.

– J'exécuterai tout ce qui incombe à un soldat digne de ce nom, rétorqua-t-il. Les Tornefeld ont de tout temps été soldats, pourquoi me prélasserais-je derrière un poêle ? Mon grand-père, le colonel, commandait le régiment bleu à Lützen. Il combattait aux côtés de son roi, Gustave Adolphe, et lui a fait un rempart de son corps lorsque celui-ci est tombé de cheval. Quant à mon père, il a participé à onze batailles et perdu un bras lors de la prise de Saverne. Mais que sais-tu de Saverne, frère ? Que sais-tu des canons foudroyant l'air, des cris, de la fumée, des offensives et des retraites parmi le tumulte des tambours et des trompettes, quand les rangs se refont pour un nouvel assaut ! A Saverne, on tisse aujourd'hui, et on torréfie le houblon, voilà tout ce que tu sais.

– Tu n'en as pas moins déserté ta compagnie comme un gredin, rétorqua le voleur, tu as fait faux bond à ton régiment. Je t'ai vu sangloter dans la neige. Tu n'as pas l'étoffe d'un soldat. Les veilles, les tranchées, les assauts dans le froid et l'adversité ne sont guère pour toi.

Tornefeld se taisait. Il gardait la tête basse et fixait les braises du feu.

– Je pense, insista le voleur, qu'aux premiers roulements du tambour, tu trembleras pour ta vie de quatre sous. Tu chercheras le coin d'un poêle ou d'une cheminée où te blottir.

– Je ne souffrirai pas, fit Tornefeld d'une voix contenue, que tu outrages en ma personne l'honneur de la noblesse suédoise.

– Peu me chaut que tu le souffres ou non, s'écria le voleur. Je tiens tous les nobles pour des libertins. Quant à leur honneur, je n'en donne pas une boucle de soulier.

Tornefeld bondit et, blême de fureur et d'indignation, saisit à défaut d'arme la cruche de bière dont il menaça le voleur.

– Encore un mot et c'en est fait de toi, cria-t-il.

Mais le voleur s'était déjà emparé du couteau à pain.

– Viens, approche, dit-il en riant. Tes menaces ne m'impressionnent guère. Voyons donc si ton arcane te rend invulnérable aux coups! Sinon je vais te trouer comme...

Il s'interrompit. Les deux hommes laissèrent retomber, qui le couteau, qui le cruchon en constatant soudain qu'ils étaient trois dans la pièce.

Sur le banc, près du poêle, un homme était assis. La peau cireuse de son visage était grenue et ridée comme du cuir de Cordoue et ses yeux semblaient deux noix creuses. Il portait un pourpoint de drap rouge et un grand chapeau de roulier orné d'une plume. Les revers de ses épaisses bottes de cavalier lui montaient au-dessus des genoux. A le voir assis là, en silence, sa bouche torve découvrant ses dents, les deux hommes prirent peur. Le voleur reconnut le fantôme du meunier, lequel avait dû sortir du purgatoire pour voir où en était son moulin. Il se signa furtivement dans le dos de Tornefeld, sans omettre d'invoquer les souffrances et les plaies de Jésus, le sang et les larmes de Jésus... Il était persuadé que le spectre allait s'évanouir dans un nuage de fumée et une odeur de soufre avant de regagner le purgatoire. Mais l'homme au pourpoint rouge demeura sur son banc, aussi immobile qu'une chouette sur le point de saisir sa proie.

– Comment êtes-vous entré, messire? s'enquit Tornefeld en claquant des dents. Je ne vous ai pas vu arriver.

– Une vieille m'a porté dans sa hotte, fit l'homme avec un rire silencieux – sa voix ne résonnait pas plus qu'une pelletée de terre qui retombe sur la terre. Et vous? Que faites-vous ici? Vous mangez mon pain, buvez ma bière et attendez sans doute ma bénédiction!

– A le voir, on jurerait que le diable l'a tenu dix ans dans un bain de tanin, murmura le voleur à part soi.

– Tais-toi! prends garde! Il pourrait s'offenser, chuchota d'un trait Tornefeld.

Puis à voix haute :

– Sans doute m'excuserez-vous, messire. Il gèle à pierre fendre dehors et les temps sont si troublés que je n'ai rien trouvé à me mettre sous la dent depuis trois jours – Dieu m'est témoin. Aussi me suis-je permis de m'asseoir à votre table sans y être convié...

– On dirait qu'une belette lui a craché au visage, murmura le voleur.

– ...et bien que je n'aie pas l'honneur d'être connu de vous, continua Tornefeld avec une révérence. Mais je ne manquerai pas de vous donner la preuve de ma reconnaissance.

Le voleur voyait bien que ce n'était pas là la manière dont on parle à un fantôme; il lui apparut également que dans sa hâte et dans son trouble, il s'était trompé d'invocation. Car on invoquait le sang et les plaies du Christ pour combattre l'hydropisie, la petite vérole ou le sphacèle, mais non pour chasser les spectres. Il allait prononcer la bonne formule quand l'homme au chapeau de roulier se tourna vers lui avec ces mots :

– Toi, l'ami, tu me regardes comme si tu savais qui je suis!

– Je ne l'ignore pas, messire, admit le voleur d'une voix mal assurée, et je sais aussi de quel royaume vous venez. Vous sortez de l'auberge du dam, où les flammes jaillissent des fenêtres et où les pommes rôtissent toutes seules sur la corniche.

Et il se représentait le purgatoire, ce gouffre de feu, séjour des âmes en mal de purification. C'était là ce qu'il nommait l'auberge du dam. Mais l'homme au pourpoint rouge fit comme si l'autre eût simplement parlé de l'évêché, dont les fonderies et les chaufours dardaient jour et nuit leurs langues de feu vers le ciel.

– Je vois que tu ne me connais pas, répondit-il. Je ne suis pas fondeur, non plus que chauffeur ou valet de forge à l'évêché.

Dehors les flocons de neige tourbillonnaient. Le voleur fit un pas vers la fenêtre et montra de la main les ailes du moulin à présent immobiles.

– Je veux dire, messire, fit-il d'une voix basse et hésitante, que vous êtes ce meunier qui a pris congé de notre monde, la corde au cou, et qui séjourne maintenant au royaume des flammes.

– Hé oui! je suis ce meunier, s'écria l'homme au pourpoint rouge qui se leva de son banc et se mit à arpenter la pièce. Oui, je suis ce meunier, et il est vrai que j'ai tenté de périr par la corde à une heure sombre de mon existence. Mais le bailli de l'évêché est accouru avec ses valets : ils ont tranché la corde et le chirurgien m'a saigné. On m'a rendu à la vie et l'évêque, dans Sa grâce infinie, m'a engagé comme roulier. Je parcours donc dans les deux sens la route des armées, ayant à charge de rapporter à mon maître les denrées du monde entier : de Venise, de Malines, de Varsovie et de Lyon. – Et vous, compagnons, quel est votre emploi? D'où venez-vous? Où allez-vous?

Le voleur suivait d'un œil inquiet l'homme qui arpentait la pièce dans un cliquetis d'éperons. Il avait le sentiment que ce fantôme qui voulait passer pour un être de chair et de sang savait clairement à qui il avait affaire : à un larron qui, sa vie durant, avait volé tout ce qui lui tombait sous la main, le lard, les œufs, le pain et la bière, les canards de l'étang et les noix du noyer. Aussi préférait-il ne pas parler de son emploi. D'un geste incertain, il désigna les forêts obscures où étaient les forges et le bocard et déclara :

– Je veux aller là-bas pour essayer de gagner mon pain.

Le meunier eut un rire silencieux et frotta ses mains osseuses.

– Si tu vas là-bas, fit-il, la partie est presque gagnée. Sa Seigneurie est un bon maître. Tu recevras chaque jour une livre de pain et une autre demi-livre pour tremper dans ta soupe. Ainsi que deux sous de saindoux. Le soir, une purée et le dimanche, un saucisson de gruau et du ragoût de mouton.

Le voleur ferma les yeux. Il avait traversé des temps difficiles. Un choucas qu'il avait abattu et rôti avait été la seule nourriture chaude qu'il avait consommée depuis dix jours. Il huma un fumet imaginaire et ses narines frémirent.

– Du ragoût de mouton, murmura-t-il. Avec du cumin.

– Avec du cumin et de la noix de muscade, assura le meunier. Tu seras traité comme il convient.

Il se tourna vers Tornefeld.

– Et toi qui restes planté là comme un saint de fresque ? Tu as oublié ta langue ? Tu veux sans doute prendre du bon temps, toi aussi ? Notre évêque va bientôt sustenter tous les fainéants et les écornifleurs du royaume :

Tornefeld secoua la tête.

– Je n'entends pas rester dans ce pays, déclara-t-il. Je veux passer la frontière.

– La frontière? Tu veux aller goûter au pain d'épice trempé dans l'eau-de-vie de Kielce?

Tornefeld se tenait debout, figé, comme au garde-à-vous.

– Je veux servir mon maître, le roi de Suède.

– Le roi de Suède! s'écria le meunier d'une voix stridente. Oui-da, il t'attend sûrement. Conseille-lui donc d'aller déloger le prince des Tatars et l'empereur de Chine. A-t-il si peur de voir enfler ses jambes qu'il court de la sorte derrière la gloire? Ainsi tu vas chercher fortune dans l'armée suédoise? Les quatre kreutzers de ta solde passeront dans la craie, la poudre, la cire à chaussures et l'émeri. Du blé semé dans la terre sableuse, voilà ce qu'est la carrière de soldat!

– Je suis néanmoins décidé à combattre avec les Suédois, protesta Tornefeld.

Le meunier s'approcha de lui et le regarda dans le blanc des yeux. Dehors, la tempête faisait rage et la charpente du moulin craquait sous le poids de la neige. Mais dans le silence de la pièce on n'entendait que la respiration des trois hommes en présence.

– Sot que tu es! lança le meunier au bout d'un moment. Sans aide tu es perdu. On fond seize balles avec une livre de plomb et l'une d'elles t'est destinée. Tous les jeunes freluquets veulent rejoindre l'armée suédoise et une fois enrôlés, ils crient merci. Qu'as-tu laissé derrière toi? La charrue, l'aune, l'alène ou l'encrier?

– Ni l'aune, ni l'encrier, dit Tornefeld. Je suis de sang noble. Mon père et mon grand-père ont passé toute leur vie *en bataille* [1] et je veux suivre leur exemple.

– Messire est de sang noble, voyez-vous cela! railla le meunier. Un coucou teigneux n'aurait pas une autre apparence. Messire a-t-il un passeport, des papiers?

– Je n'ai ni passeport, ni papiers, répondit Tornefeld. Je n'ai que ma valeur et mon ardeur à combattre. Et je gage mon âme que...

Le meunier l'arrêta d'un geste de la main.

– Gardez votre âme, messire, personne ne vous la demande, fit-il avec humeur. Mais vous devez savoir que des soldats ont fait irruption dans les parages la nuit dernière, les chemins grouillent de dragons et de mousquetaires qui traquent les pillards le long de la frontière polonaise; ils veulent en finir avec eux. Sans passeport ni papiers, vous aurez du mal à passer.

– Peu m'importe, répliqua Tornefeld, ma résolution est prise.

– Eh bien, allez, courez les rejoindre, vos Suédois, cria le meunier d'une voix qui grinça telle la roue mal huilée d'une charrette, ce n'est pas moi qui vous porterai sur mon dos en un lieu plus sûr. N'oubliez pas de payer votre dû, messire, et à la grâce de Dieu!

A le voir dressé devant lui, les doigts crispés, les

1. En français dans le texte.

lèvres retroussées, les yeux brillants tels deux feux follets, Tornefeld prit peur. Il eût volontiers, pour se soustraire à sa vue, jeté un demi-gulden sur la table et disparu sous la couverture, derrière le poêle. Mais dût-il retourner toutes ses poches, il n'eût pas trouvé le moindre kreutzer.

Il fit deux pas en arrière pour se rapprocher du voleur.

– Frère, lui souffla-t-il. Cherche bien dans ta poche, vois si tu n'aurais pas un gulden ou un demi-gulden. Je n'ai plus un sou et dois régler Maître Léonard.

– Comment veux-tu que je trouve un gulden! maugréa le voleur. Je n'en ai pas vu la couleur depuis une éternité, je ne sais même plus si c'est rond ou pointu. Et n'est-ce pas toi qui devais régler nos dépenses?...

Tornefeld jeta un regard inquiet au meunier qui, penché sur l'âtre, tisonnait le feu.

– *Pardieu* [1], notre sort est entre tes mains, s'obstina-t-il auprès du voleur sans vouloir en démordre. Tu dois aller sur l'heure trouver messire mon cousin, à Kleinroop, près du village de Lancken. Tu lui diras que je suis ici et qu'il me faut de l'argent, des habits et un cheval.

– Je te souhaite bonne fortune, frère, fit le voleur. Mais ma vie m'est plus précieuse que la tienne et je ne veux pas tomber entre les mains des dragons. Qu'ai-je à voir avec messire ton cousin?

Par la fenêtre, Tornefeld fixait la neige qui tom-

1. En français dans le texte.

bait de plus en plus dru. Les ailes du moulin à vent étaient à présent invisibles.

– Tu dois y aller à ma place, insista-t-il. Tu auras ma reconnaissance éternelle. Tu vois bien que je suis malade, malade à mourir. Si je m'expose à la neige et au froid, c'en est fait de moi.

– Voilà que tu crains de te geler le nez, répliqua l'autre d'un ton sarcastique. Tout à l'heure encore tu te gargarisais de courage et brûlais de rejoindre l'armée suédoise. A présent tu m'encenses, mais tantôt tu me menaçais du cruchon de bière et me souhaitais la roue et la corde. Réserve ce plaisir à d'autres, moi je n'y vais pas.

– Pardonne-moi, frère, je plaisantais. Dieu m'est témoin que je le regrette, implora Tornefeld. Pour ne rien te cacher, je ne crains ni les dragons ni le froid. Mais je ne veux pas me présenter en cet appareil à mon cousin et à la jeune demoiselle. Va à ma place, fais-moi cette amitié. Dis-lui que je viendrai lui présenter mes hommages dès que j'aurai repris l'apparence d'un soldat. On te réservera le meilleur accueil et tu seras récompensé pour ta peine.

Le voleur réfléchit. Pour atteindre le village de Lancken, il lui fallait revenir sur ses pas pendant quelque trois milles. Qui sait si les champs mal entretenus qu'ils avaient traversés n'appartenaient pas au noble cousin de son compagnon d'infortune? Il aurait bien aimé connaître l'homme qui se laissait escroquer de la sorte par son intendant, ses teneurs de livres, ses bergers et ses valets.

Le chemin était périlleux, il le savait. S'il tombait

entre les mains des dragons, c'était la corde à coup sûr car les gibets ne manquaient pas à la croisée des chemins. Mais il était accoutumé au danger. Plus d'une fois le destin l'avait placé devant cette alternative : mourir de faim ou mourir pendu. A présent qu'il était résolu à mettre un terme à sa vie d'errance, à troquer sa liberté contre le gîte et le couvert, voilà qu'il se sentait envahi, une fois de plus, du désir impérieux de braver le vent âpre du dehors, d'inviter une dernière fois la mort à danser la courante.

– J'irai donc et tu resteras, déclara-t-il à Tornefeld. Mais crois-tu que Son Excellence ton cousin laissera venir jusqu'à elle un gueux de mon espèce?

– Tous les hommes se valent, fit vivement Tornefeld, craignant que le voleur ne se ravisât. Tu lui montreras cette bague, il saura ainsi que c'est moi qui t'envoie. Parle peu, sois concis. Il devra premièrement te remettre l'argent, car je ne passerai pas la frontière sans bourse délier. Secondement il devra m'envoyer une calèche, un manteau bien chaud, des chemises, des cravates et des bas de soie rouge...

Le voleur examinait d'un œil méfiant la bague d'argent que Tornefeld venait d'ôter de son doigt.

– Il croira que je l'ai volée, dit-il.

– Il n'en fera rien, assura Tornefeld. Mais s'il doute, rappelle-lui, pour prouver ta bonne foi, que dans mon enfance, j'ai dévalé la colline en traîneau avec la jeune demoiselle, oui, dis-lui que les chevaux ont pris peur et que le traîneau a versé. Il saura alors qui t'envoie. Qu'il me fasse également tenir une redingote de brocart à fleurs et une autre en satin, avec nœuds et dentelles, un chapeau de cérémonie, deux perruques noires, un peignoir de soie pour le soir...

– Et comment se nomme messire ton cousin ? l'interrompit le voleur.

– Christian Henri Erasme von Krechwitz-Kleinroop, déclara Tornefeld. Il m'a porté sur les fonts baptismaux. N'oublie pas les deux perruques noires, une grande et une petite, un chapeau à soutaches, une redingote française en satin...

Le voleur avait déjà franchi la porte. Un vent glacial s'engouffra dans la pièce. Le meunier se redressa et réchauffa ses mains au-dessus de l'âtre.

– Messire von Krechwitz, murmura-t-il. Je l'ai bien connu. Un homme sévère. Un homme prospère également. Que Dieu ait son âme...

La nuit tombait lorsque le voleur parvint au village. Il ne neigeait plus mais le froid sévissait de plus belle et le vent était si coupant que l'homme ne sentait plus ses oreilles. La rue principale était déserte, à l'exception d'un mâtin brun qui errait entre les masures et les remises. De l'auberge émanaient un rai de lumière et le son étouffé d'une cornemuse. Au détour d'une allée d'érables, la demeure des Kleinroop laissa apparaître son toit d'ardoises étincelant.

Tandis qu'il marchait sur le vivier gelé, en direction de la maison, le voleur ne pouvait s'empêcher de repenser au noble seigneur qui gardait à son service de si piètres valets et les laissait gâter ses terres... « Pourquoi ce messire von Krechwitz ne met-il pas son nez dehors, se disait-il. Il lui suffirait de traverser une fois ses champs pour comprendre ce qui s'y passe. Il est aveugle, ma parole! A moins qu'il ne soit malade et contraint de garder la chambre. L'hydropisie peut-être, ou l'hémoptysie qui l'oblige à avaler force huile d'olive, électuaires et sirop d'absinthe? Pourquoi ne va-t-il jamais dans ses champs? Peut-être est-ce un rêveur, un bâtisseur de chimères, jaloux de sa solitude et qui élucubre en toute saison pour savoir de quoi se compose la lune et s'il entre au paradis plus d'hommes que de femmes. Il se pourrait aussi qu'il fût absent de son domaine. Je parierais avec moi-même, ma poche droite contre ma poche gauche, qu'il ne vit pas sur ses terres! Il se tient en ville où il partage son temps entre le fleuret, la danse, la table de jeu et la musique de nuit dont il honore les dames. Ses gens prennent leurs aises, lui ne vient que pour toucher l'argent. Tel est messire von Krechwitz. Dès qu'il a réuni cent thalers il repart à la ville et n'en revient qu'une fois l'argent dilapidé et les dettes amoncelées. Oui, tel est messire von Krechwitz. A-t-il des dettes qu'il échafaude un plan pour s'enrichir en une nuit. Je saurais lui être de bon conseil... Sa terre est bonne : pour trois charrues de sol fertile, à peine une de sol ingrat. S'il veillait à le faire fumer et semer comme il convient – ce champ, par exemple, demande du blé d'hiver, celui-là de l'avoine blanche hâtive, et l'on doit réserver le froment aux terrains les plus durs – oui, s'il faisait semer raisonnablement, herser et désherber comme il faut, il verrait bientôt les céréales pousser dru, tige contre tige. Il faudrait aussi, bien sûr, qu'il discipline un peu ses valets, surveille étroitement le teneur de livres, envoie au diable son intendant pour prendre lui-même les choses en main – voilà ce qu'il devrait faire au lieu de courir la ville avec des laquais en livrée et des chanteurs de sérénade... »

Un bruit de grelots, le claquement d'un fouet arrachèrent le voleur à ses pensées. Il n'eut que le temps de bondir sur le côté et de se tapir derrière une congère.

Un traîneau glissait lentement, pesamment sur le vivier gelé. C'était une vieille troïka grinçant de toutes parts, qu'un cheval famélique tirait à grand-peine; la portière au cuir jauni et déchiré montrait cependant les restes d'un blason. A la hauteur du siège du cocher pendait une lanterne qui éclairait le visage d'un homme emmitouflé dans une vieille peau de mouton, à l'arrière du traîneau. Le voleur eut le temps d'apercevoir un nez grumeleux, bleui par le froid, une bouche amère et une barbiche noire à deux pointes.

Il se redressa derrière son tas de neige et suivit le traîneau des yeux en hochant la tête.

– Le voilà donc, ce messire von Krechwitz, murmura-t-il. Non, ce n'est pas un rêveur ni un bâtisseur de chimères et il n'a pas non plus l'allure d'un joli cœur qui prodigue des cadeaux et risque son argent au jeu. Il a le visage d'un homme insatiable qui ne ferait à personne l'aumône d'un liard. Un avare au cœur sec. Mais pourquoi cet homme au regard si dur ne sait-il pas se faire respecter de ses valets?

Tout à ses réflexions, le voleur reprit sa marche. Il ne tarda pas à trouver une réponse à la question qui le tourmentait.

« J'y suis, se dit-il. Ce von Krechwitz aura commis quelque forfait qu'il a réussi à tenir secret. Personne n'est au courant, hormis ses valets qui se taisent mais le tiennent en leur pouvoir. Peut-être a-t-il assassiné son frère pour une question d'héritage ou bien empoisonné sa femme pour jouir de sa fortune. Ses valets savent, donc, et il a peur qu'ils ne dévoilent son acte et ne témoignent contre lui. C'est pourquoi il n'ose en chasser un seul de son domaine... »

Le traîneau s'arrêta devant la cour de la demeure. Les grilles s'ouvrirent et un valet apparut, une lanterne d'écurie à la main. Il fit une profonde révérence, mais l'homme du traîneau sautait déjà à terre et, arrachant le fouet des mains du cocher, se mit à en frapper rageusement le valet.

– Coquin! Maudit putois! hurla-t-il à la ronde. Buse que tu es! Porc immonde! Tu oses m'envoyer le plus mauvais traîneau et cette haridelle? Tu ne l'emporteras pas en paradis! Tais-toi! Je vais te montrer de quel bois je me chauffe.

Le valet, immobile, présentait son dos aux coups qui pleuvaient. Mais l'homme au traîneau, fatigué, finit par laisser retomber le fouet. Le valet se baissa pour le ramasser. Puis le traîneau disparut dans la cour, les grilles se refermèrent et alentour, ce fut de nouveau le silence et l'obscurité.

– Bien, très bien, murmura le voleur en se frottant les mains. Il sait comment traiter ces gredins. Ils ne valent pas cher, tous autant qu'il sont. Mais diantre, pour une broutille, il donne du fouet comme un montreur d'ours, et par ailleurs néglige ses intérêts... Pourquoi laisse-t-il ses champs se perdre et la semence pourrir dans le sol? Je ne comprends pas, pardieu, je ne comprends pas!

Perplexe, il poursuivit son chemin. Les grilles étaient verrouillées mais l'œil exercé du voleur eut tôt fait de trouver un endroit où le mur était franchissable. Et, tandis qu'il se hissait prudemment vers le faîte, une seconde intuition lui parut éclairer avec évidence l'étrange conduite de ce messire von Krechwitz.

« Certains hobereaux, par ici, placent moins leurs espérances dans leurs champs que dans leurs étables, se dit-il. Et ils n'ont pas tort. Une vache ne rapporte pas moins de neuf thalers : je me fais même fort d'en obtenir dix pourvu qu'elle soit bonne laitière. Si je prends simplement le veau, le beurre et le fumier, la vache me rapporte déjà quatre thalers par an. Quant aux moutons, ils ont la dent solide, l'herbe des clairières et les pâtures mangées de sable leur suffisent, ils n'en donneront pas moins leur demi-livre de laine à la tonte. Ce messire von Krechwitz doit faire plus d'un envieux, c'est certain. Il se moque bien qu'il vente ou qu'il grêle; les souris, les insectes, la nielle ne le tourmentent pas : il a loué ses champs pour se lancer dans l'élevage. Les poulains, les agneaux, les veaux lui rapportent gros. On expédie la laine de Silésie en Pologne, chez les Moscovites et jusqu'en Perse. La bonne laine se vend toujours à son juste prix. Il sait ce qu'il fait, ce messire von Krechwitz... »

Tout à son analyse, le voleur se laissa glisser le long du mur, tomba dans la neige et se redressa. La cour était déserte, une herse renversée en barrait l'entrée, une fourche était plantée dans la neige. On avait déjà remisé le traîneau qu'il avait croisé et le cheval était à l'écurie. Les valets avaient sans doute fini leur journée et regagné l'aile des domestiques. Le voleur se dirigea à pas lents vers la demeure; il hésitait et ne tarda pas à s'arrêter – il avait le temps. Tornefeld pouvait bien attendre sa redingote française une heure de plus. Quant au chapeau à soutaches et aux bas de soie rouge sans lesquels il ne pouvait partir à la guerre, il les attendrait aussi. Le voleur n'en avait cure. Avant de transmettre son message au maître de céans, il voulait voir la bergerie dont on devait parler jusqu'en Pologne, il voulait admirer les béliers espagnols, voir comment les mères étaient soignées, comment les agneaux avaient passé l'hiver...

La porte de la bergerie était verrouillée mais il en fallait davantage pour décourager le voleur. Il escalada le mur tel un lynx, se glissa par une brêche étroite et se retrouva dans le grenier à foin. Puis il descendit dans l'étable par l'échelle. C'était donc là la fameuse bergerie de messire von Krechwitz! Le spectacle était pitoyable. Trois douzaines de moutons à peine, perdus dans une étable conçue pour plus de cent têtes. Trois douzaines de bêtes mal soignées, couvertes de la laine la plus grossière et dont certaines étaient tout enflées par l'humidité et la mauvaise provende. Quant aux béliers espagnols, point.

Le voleur prit la lanterne, alla d'une bête à l'autre pour dénombrer les femelles, les mâles, les agneaux d'un an, ceux de deux ans, ainsi que les mères.

« Non, ce troupeau ne rapporte rien au maître, il est clair qu'il se fait voler, se dit-il – et son courroux n'eût pas été moins grand s'il se fût agi de ses propres bêtes. Il faut reconnaître qu'il est malaisé de trouver un berger honnête. Tous des coquins, même les meilleurs font téter leurs propres agneaux dans le troupeau du maître. Mais celui d'ici passe les bornes. Deux charretées de foin, de vrai foin, voilà ce qu'il faut pour nourrir une trentaine de moutons durant un hiver... or au grenier je n'ai vu que de la paille, pas la moindre botte de foin. Le berger aura vendu la bonne herbe des prés à son profit; il ne donne aux bêtes qu'une paille ingrate et qui leur fait du mal. Ce cheptel est perdu par sa faute. » Il s'attarda devant l'un des moutons qu'il examina avec attention.

« Celui-ci est malade, constata-t-il. Ce n'est pas la gale mais la filaire peut-être ou le piétin. La litière n'est pas renouvelée, voilà tout. Le berger ignore que les moutons ne supportent pas l'humidité. Si j'étais messire von Krechwitz... »

Il posa sa lanterne à terre et desserra les mâchoires de l'animal.

– Seigneur Jésus! s'écria-t-il épouvanté. – Non, ce n'est pas la filaire, cette bête a le charbon! Le berger l'ignore ou s'en moque. Il faudrait l'abattre sur-le-champ en prenant garde que le sang ne coule, puis l'enterrer profondément. Et lui qui laisse la bête malade au contact des autres. Et le maître, à quoi pense-t-il! Pardieu, Sa Seigneurie tient trop à ses aises pour descendre à l'étable, l'odeur sans doute l'incommode! Mais il faut qu'elle sache quel berger la sert, il faut qu'elle sache que le charbon infecte sa bergerie!

Le voleur en avait assez vu. Il se coula hors de l'étable tel un chat hors du pigeonnier. Il resta un moment dans la cour, à fureter entre les bâtiments et sut bientôt que la fortune du maître ne battait que d'une aile.

« Valets et servantes ne valent guère mieux les uns que les autres. Au grenier, le grain pourrit. Les travaux d'hiver ne sont pas faits, le bois n'est pas débité, le lin qui devrait être séché et déjà brisé en cette saison n'a pas encore été battu. Les domestiques de la maison ne songent qu'à leur panse et à leur gosier. Le maître berger et ses valets ripaillent tous les jours de la semaine et les cruchons de bière défilent comme si c'était kermesse ou carnaval. Ici le monde culbute : le valet s'engraisse et le maître trinque. Par tous les diables! Si j'étais à la place de ce messire von Krechwitz!... Quant à l'étable, n'en parlons pas! C'est tous les jours qu'il faut changer la litière des vaches, et les veaux demandent les mêmes soins que les jeunes enfants. Mais ici... »

La porte s'ouvrit et deux hommes sortirent de l'écurie. Le voleur eut juste le temps de se jeter à terre.

L'un des nouveaux venus semblait être l'intendant chargé d'administrer le domaine. Il ployait telle une mule sous les livres de comptes : il en avait trois sous les bras et deux dans une main. De l'autre main il portait la lanterne. Il avait également un encrier à la ceinture et deux plumes d'oie derrière l'oreille. Toute son attitude exprimait la servilité face à l'homme à la barbiche dont le voleur avait croisé le traîneau peu auparavant.

« Il a visité l'écurie, se dit le voleur qui grelottait par terre, les coups vont pleuvoir à nouveau. Il regarde l'intendant comme s'il voulait lui tordre le cou. Et si je me dressais, si je lui disais tout à coup dans quel état sont les autres étables et qu'une de ses brebis a le charbon ! – Diable ! Mais l'orage ne va pas tarder, on dirait... »

– Ma parole, tu deviens fou ! hurla l'homme à la barbiche d'une voix si stridente que l'intendant en laissa choir ses livres dans la neige. Deux cents guldens ! Cesse de quémander ! Tu n'auras rien avant le dimanche des Rameaux. Deux cents guldens ! Et où les prendrais-je ? Crois-tu que les ducats me tombent du ciel, à moi ? Sa Seigneurie m'a déjà emprunté trois cents guldens le lundi de la Passion, plus deux cent vingt le jour de la Saint-Léonard. Ma parole, l'argent part en fumée dans cette maison !

Il haletait, le visage cramoisi de colère autant que de froid. D'une voix plaintive, l'intendant essaya de le fléchir.

– Votre Grâce n'ignore pas que la maison compte plus d'invités qu'on ne voudrait, il nous faut chaque jour servir des rôtis, du vin, des galettes. Sans oublier les paysans qui viennent réclamer le pain et la semence...

– Dis à Sa Seigneurie de vendre ses bagues et ses colliers, elle aura de l'argent, s'écria l'homme à la barbiche. Pour moi, j'ai tout engagé et je ne puis faire face aux créances.

– Les bagues, les colliers, le juif les tient depuis longtemps, soupira l'intendant. Nous avons dû vendre les hanaps d'argent, les gobelets, ainsi que les coupés, les carrosses et les chaises; nous avons emprunté à droite et à gauche pour les semailles et devons rembourser douze boisseaux pour dix. Sa Seigneurie pensait que Votre Grâce, étant son généreux parrain...

– Diantre! s'écria l'homme à la barbiche. On me donne à nouveau du « généreux parrain »! Mais l'an passé, à l'enterrement du défunt père de Sa Seigneurie, c'est Kaspar von Tschirnhaus qui portait le casque et Peter von Dobschütz qui arborait l'écu au bras droit, le baron von Bibran conduisait le cheval... et moi, où étais-je? Georg von Rottkirch portait les armoiries et Hans Üchtritz de Tschirna la croix et l'épée, Melchior Bafron avait quant à lui l'écu au côté gauche, et ces dames Nostitz et Lilgenau tenaient à l'église les cordons du poêle... et moi, oui, où étais-je? On a bien voulu que j'avance l'argent pour payer les tapis de selle en velours, la bannière de taffetas rouge, le prédicateur et les cierges. J'ai prêté non moins de deux cents guldens et pour ma peine on m'a laissé chanter avec les autres : « Portons en terre la dépouille. » Voilà tout l'honneur qu'on m'a fait.

Le voleur en savait assez à présent. L'homme au nez grumeleux et à la barbiche à deux pointes n'était pas le maître des lieux mais un usurier des environs, l'un de ces gens qui amassent fortune en mettant les hobereaux sur la paille.

– Quelle honte! murmura-t-il, voilà que je prends un vil usurier pour un gentilhomme. Où avais-je les yeux? Mais restons vigilant car les deux compères ont l'air de méditer quelque coup. Ils s'entendent comme les pignons d'une même pomme de pin et si l'un ressemble à Judas, l'autre a nom Iscariote...

L'intendant qui lui faisait songer à l'Iscariote grattait la neige de ses pieds tandis que l'usurier se mouchait à grand bruit avant de conclure :

– Transmets à Sa Seigneurie les compliments de son parrain le baron von Saltza de Düstersloh-Pencke, qui ne lui prêtera plus d'argent, tant en thalers qu'en guldens, et qui ne voit pas la nécessité de prendre en gage les vergers et les droits de pâture. Mais si Sa Seigneurie veut vendre sa jument Diana et son lévrier Jason, j'en donnerai quatre-vingts guldens, précise-le-lui. Sinon, à Dieu vat! Et à présent, fais atteler, je rentre.

– Seigneur Dieu! soupira le voleur. C'est donc un noble, il porte le titre de baron, possède armes et écusson mais se livre à l'usure la plus vile sans souci de l'honneur de son sang. Je préfère ma misère à la sienne.

– Quatre-vingts guldens, c'est peu, objecta l'intendant. Votre Grâce n'ignore pas que le lévrier en vaut à lui seul cinquante.

– J'en donne quatre-vingts et pas un de plus, s'écria l'usurier. Et je perds au change car un cheval de selle et un chien de chasse me coûtent plus en un jour qu'ils ne me rapportent en un mois.

– Mais ce chien de chasse et cette jument vous seront de profit, Votre Grâce, protesta l'intendant avec un rire entendu. Si Sa Seigneurie veut voir Jason et Diana, elle devra frapper à la porte de Votre Grâce... Et elle ne manquera pas de venir chaque jour, je le sais : elle ne peut vivre sans son cheval et son lévrier !

– Crois-tu vraiment qu'elle viendra frapper à ma porte ? interrogea l'usurier. Je ne la chasserai pas si elle vient. Dis-lui qu'il en est de son parrain, le baron von Saltza, comme du basilic des jardins : il empeste et pique les yeux si on le presse mais exhale tout son arôme dès lors qu'on use de douceur avec lui.

– Je le lui dirai, je le lui répéterai chaque jour, promit l'intendant. Cent dix guldens, Votre Grâce. Quatre-vingts pour Sa Seigneurie et trente pour moi. J'ai toujours été dévoué à Votre grâce dont j'ai servi au mieux les intérêts.

– Vingt pour toi suffiront, trancha l'homme à la barbiche, qui parut soudain de meilleure humeur.

Les deux hommes s'éloignèrent vers la maison, et le voleur se souleva légèrement pour secouer la neige de ses vêtements.

« On s'en donne à cœur joie ici, railla-t-il à part soi. Si tous les scélérats de ce domaine portaient une cloche au cou, on ne s'entendrait plus. Sacré messire von Krechwitz ! Mais je m'en vais lui dire qu'il y a le charbon dans sa bergerie, que son intendant le trompe, que son propre parrain le trompe, que valets et servantes ripaillent tandis qu'il court à la ruine ! Oui, je me charge de l'éclairer. Peut-être me gratifiera-t-il d'une assiettée de soupe, mais je n'agis pas là par intérêt. »

Il se releva. Une étrange métamorphose s'était opérée en lui. Il oubliait déjà qu'il était venu là à titre de messager. Une autre mission s'imposait à lui. Voleur il était, mais il avait le sentiment d'être la seule personne honnête du domaine, et c'est dans ce sentiment qu'il voulait parler au maître.

Lui, qui s'entendait d'ordinaire à pénétrer chez autrui comme une taupe dans un jardin, marchait à présent le front haut, et c'est en honnête homme qu'il voulait franchir le seuil afin de parler sans détour au maître de céans.

Il allait frapper lorsque la porte s'ouvrit brusquement pour livrer passage à deux dragons, ses ennemis mortels et ceux de tous les vagabonds ! Ils portaient des lanternes et des sacs de foin. Sitôt qu'il les vit, il oublia ses nouvelles dispositions. Son ancienne peur resurgit et, prenant ses jambes à son cou, il courut se réfugier vers l'arrière de la maison. Aussitôt les dragons, jetant là leurs sacs de provende, se lancèrent à ses trousses.

– Qui va là ? Réponds ! les entendit-il crier... Arrête ou je tire !

Mais il continua de courir, éperdument; il allait passer l'angle de la maison lorsqu'il entendit des voix venant de l'autre côté.

Il s'arrêta, hors d'haleine. Où aller ? Où aller ?

A l'endroit où il se trouvait, on avait pelleté la neige en un gros tas. Il s'y jeta, creusant un trou à la base du monticule et s'y enfouit. Il resta là, immobile, et les dragons passèrent à côté de lui sans le voir. Il les entendit s'écrier : « Où est passé ce gredin ? Le diable nous l'a soufflé ! » Lorsque le silence revint, il leva prudemment la tête : les dragons n'étaient plus là, mais ils pouvaient revenir d'un instant à l'autre. Il sortit de son tas de neige. Où aller ? se dit-il à nouveau. Au-dessus de lui, à moins de deux toises, il avisa une fenêtre au large rebord. « Si je pouvais me hisser jusque-là ! » songea-t-il. Il prit son élan, bondit en l'air et saisit le rebord; les éclats de verre et les clous acérés qui jonchaient la pierre lui déchirèrent les mains. Insoucieux de la douleur, il se hissa lentement le long de la façade. Une fois parvenu en haut, il ouvrit les volets cassés, à la manière des rôdeurs, et introduisit ses jambes qui touchèrent bientôt le sol.

Et c'est ainsi que le voleur, trempé jusqu'aux os, à demi gelé, le souffle court et la poitrine en feu, tremblant de peur et de froid, traqué, mort d'épuisement et les mains en sang, pénétra pour la première fois dans la demeure qu'il devait gouverner deux années plus tard.

Dans la pièce où il était parvenu, il resta un moment immobile parmi le bric-à-brac sans penser à rien d'autre qu'au froid qui le mordait cruellement et au fait qu'il venait à nouveau d'échapper de peu à la potence, laquelle avait si souvent menacé sa triste existence. Il était sauf, mais pour combien de temps? Il lui fallait trouver messire von Krechwitz et parler avec lui, mais les dragons qui étaient ses ennemis jurés avaient pris leurs quartiers dans cette maison et il risquait fort de retomber entre leurs mains. N'importe! Il devait tenter sa chance, car il ne pouvait ni ne voulait faire demi-tour. Il attendit que sa respiration s'apaisât. Puis il avança. Ses yeux s'étant accoutumés à l'obscurité, il vit devant lui une lourde porte ferrée qu'on avait simplement poussée. Un rai de lumière rose orangé filtrait, à peine visible. Manifestement il ne venait pas d'une lampe à huile ni d'une chandelle. Pour toute lumière, un feu brûlait dans le poêle, face à la porte. Une pièce sans lumière est assurément une pièce vide, se dit le voleur, personne n'aime se tenir dans l'obscurité. Il soupira d'aise. Car une pièce vide où brûle un feu était précisément ce qu'il désirait en cet instant. Il voulait se réchauffer et faire sécher ses vêtements.

Il attendit un moment, l'oreille tendue. Puis il

poussa prudemment la lourde porte et se coula de l'autre côté. Un feu brûlait bel et bien dans le poêle; une faible lueur jouait sur le coffret d'argent suspendu au mur. Il était vide. Le voleur fit la grimace puis se souvint qu'il n'était pas entré dans l'intention de voler.

« Comme disait l'autre tout à l'heure, pensa-t-il en riant intérieurement, messire von Krechwitz a tout vendu au juif, les bagues, les colliers, les plats et les gobelets d'argent. Mais il continue de mener grand train, ce messire von Krechwitz! »

Le voleur huma l'air de la pièce. Il sentit une odeur de vin, de pain frais et de viande rôtie. On avait soupé ici, veillant à laisser la part du pauvre. Sur la table il vit des plats, des assiettes, des verres et une cruche de vin. A qui étaient-ils destinés? Pour qui le feu brûlait-il? Le voleur jeta un regard à la ronde. Sur une chaise luisait la lame d'une épée. Près du poêle se dressait une grande botte de cavalier. Entre les deux fenêtres était un lit et dans ce lit – le voleur retint son souffle – ...dans ce lit, il y avait quelqu'un.

Le voleur ne s'en effraya pas. Il était accoutumé à ces incidents. Traverser une chambre sans réveiller les dormeurs faisait aussi partie de son art.

Mais ce quelqu'un ne dormait pas. Il n'était pas seul. Un homme et une femme partageaient ce lit...

Le voleur suspendit tout mouvement. L'homme était sûrement messire von Krechwitz. Il avait dû terminer sa journée de bonne heure, bu et soupé copieusement, et à présent il s'ébaudissait avec sa dulcinée. Le voleur, qui ne songeait qu'à son entretien, se demandait comment signaler sa présence et exposer sa requête.

– La paix du Christ soit avec vous, monseigneur, murmura-t-il à part soi en ébauchant une courbette... Il va bondir hors du lit s'il apprend qu'il y a le charbon dans sa bergerie. Mais, patience, l'heure n'a pas sonné. Voyons d'abord quel coton trament ces deux-là.

Ravi que sa bonne étoile l'eût conduit si vite à son but, il tendit l'oreille. Il ne perçut d'abord qu'un bruissement d'étoffe accompagné de chuchotements, puis un bâillement qu'on réprimait : l'homme s'était redressé et étirait les bras.

– La paix du Christ soit avec vous, monseigneur, fit le voleur prêt à dévider son discours. Votre Grâce dort sur ses deux oreilles quand le charbon infecte sa bergerie. Les valets sont des maroufles qui mériteraient tous... Non! s'interrompit-il. Ce serait mettre le pied droit dans la botte gauche. Je dois d'abord lui dire d'où je viens et qui m'envoie.

– Messire bâille à se décrocher la mâchoire, dit soudain la femme qui était dans le lit. Est-ce là tout votre art? Ne suis-je plus votre bien-aimée, votre ange, votre trésor, votre petit chat, votre bouton de rose et votre joie? Votre grand amour, messire, est de faible durée.

– La paix du Christ soit avec vous, monseigneur, murmura le voleur qui reprenait sa litanie. Messire von Tornefeld, le filleul de Votre Grâce, m'a dépêché auprès de vous, il est au moulin...

– Je t'ai promis l'amour d'un cavalier, répondit l'homme. Et l'amour d'un cavalier ne dure pas, il passe comme l'herbe des prés et la rosée des champs.

– Je ne suis donc plus votre trésor, messire, votre petit chat, votre bouton de rose et votre joie?

– Tu quémandes les mots doux comme un oisillon la becquée. Ne t'ai-je point fait présent d'un ruban de soie long de sept aunes, de deux cornets de friandises et d'un thaler d'argent à l'effigie de Saint-Georges?

– Mais vous êtes déjà lassé. L'huile est consumée. Votre lampe, messire, n'a pas brûlé longtemps.

– Messire von Tornefeld, qui a l'honneur d'être connu de vous, noble sire, marmonna le voleur, attend au moulin qu'on lui fasse tenir une redingote française, un chapeau à soutaches, de l'argent, une voiture et des chevaux.

– Le jeûne en est cause, expliqua l'homme qui était dans le lit, et je l'observe assidûment. Je traque les joies célestes comme un chasseur le sanglier. On oublie la bagatelle à ce train. Quand je serai riche, j'aurai mon aumônier qui priera et jeûnera pour moi.

– Vous devriez en choisir un qui honore les vierges à votre place, messire.

– Tais-toi! fit l'homme soudain agacé. Que parles-tu de vierges? Crois-tu que je t'ai prise pour telle? Ta fleur ne valait pas la chandelle.

– Mais ce n'est pas tout, murmura le voleur tout à son ambassade. Il demande également un peignoir de soie, et, s'il agrée au noble sire, des bas, des cravates, ainsi que deux perruques...

– Voilà de bien vilaines paroles, s'écria la femme. Vierge ou non, je vaux bien messire qui est borgne et à moitié sourd.

– C'est le fait de mes ennemis, lança l'homme, plein d'une fierté où perçait encore la colère.

– Et moi, celui de mes amis, répliqua la fille qui éclata d'un rire si communicatif que l'homme fit chorus, et dans le brouhaha qui s'ensuivit ils n'entendirent pas qu'ils riaient à trois, le voleur ayant goûté plus que de raison cet échange de propos.

– Silence! fit tout à coup la femme. Tu as entendu? Il y a quelqu'un dans la chambre.

– Sotte que tu es! repartit l'homme. Comment veux-tu qu'il y ait quelqu'un? Par où serait-il entré?

– Il y a quelqu'un dans la chambre. Je l'ai entendu rire, dit la fille qui se redressa et scruta la pénombre – et la lueur du feu vint jouer sur ses seins blancs.

– Couche-toi et laisse-moi en paix! fit l'homme. J'ai posté un dragon devant la porte et il ne laisse entrer personne. Tu entendrais les poissons chanter dans l'eau!

– Là, il est là! cria la fille d'une voix perçante et, saisissant d'une main le bras de l'homme, elle désigna de l'autre un point dans l'obscurité. Là-bas, contre le mur! A l'aide! A l'aide!

L'homme se dégagea, bondit hors du lit et en un éclair saisit son épée.

– Hé! toi là-bas! s'écria-t-il. Qui es-tu? Que veux-tu? Pas un geste ou je te hache menu comme chair à pâté. Reste où tu es ou tu vas tâter de ma lame.

Voyant que les choses prenaient un tour inattendu, le voleur jugea opportun de sortir de l'ombre et de révéler pourquoi il était venu et qui l'envoyait.

– La paix du Christ soit avec vous, monseigneur, lâcha-t-il d'un trait en esquissant une profonde révérence qui se perdit dans le noir. C'est le filleul de Votre Grâce qui m'envoie, et me voici, pour servir Votre Grâce... Il est au moulin et attend que...

– Balthazar! cria l'homme à l'épée. Entre et fais de la lumière! Je veux voir qui me parle du Christ et de son filleul.

– Pas de lumière! piailla la fille. Pas de lumière! Je suis en tenue d'Ève!

– Alors file au paradis! fit l'homme qui la repoussa dans le lit et lui tira la couverture jusqu'aux oreilles.

Entre-temps, le dragon était entré et quelques instants plus tard, les chandelles brûlaient sur la table. Le voleur vit devant lui un petit homme râblé, vêtu d'une chemise et d'un chapeau à plumes qui brandissait une épée.

Il se figea d'effroi.

Cet homme, il le connaissait. C'était le capitaine des dragons, celui-là même qu'on surnommait le « baron Maléfice » dans le pays et qui avait là ses quartiers.

On le surnommait le baron Maléfice car il s'était juré d'anéantir les bandes de brigands qui, par leurs pillages et autres maléfices, ravageaient la Bohême et la Silésie. Il tenait ce pouvoir juridique de l'empereur en personne. Il parcourait sans trêve le pays à la tête de ses dragons et tous ceux qui vivaient de rapine – vagabonds et filous, voleurs de grand chemin et maraudeurs, malfaiteurs grands et petits – tous le redoutaient comme on redoute Satan. Le bourreau qui suivait sa troupe n'avait jamais assez de corde, et s'il faisait grâce, c'était pour marquer le condamné au front et l'envoyer ramer sur les galères vénitiennes le reste de son existence. C'était pour échapper à cet homme et à ses dragons que le voleur, soucieux de sauver sa vie, s'était réfugié naguère dans l'enfer de l'évêque, et voilà que sa mauvaise étoile l'avait conduit dans cette chambre... Il se trouvait à présent nez à nez avec le baron Maléfice et n'avait pas le moindre espoir de fuite car la maison devait être pleine de dragons. Le voleur se tenait là, pétrifié, mais le redoutable baron était si court sur pattes et si velu que l'étonnement tempérait la frayeur du malheureux.

Le capitaine cependant procédait à son habillage : il commença par poser sur son œil gauche un carré d'étoffe noire attaché par un ruban. Puis il prit des mains du dragon sa culotte de cuir et son ceinturon.

– Voyons un peu qui tu es, dit-il. Mais prends garde, mon gaillard ! Tu vois cette épée ?

Le voleur comprit que le courage seul pourrait le tirer d'embarras et qu'il était perdu s'il montrait sa peur.

– Oui-da, messire, je la vois, répliqua-t-il. Les

moineaux s'y logeraient par douzaines et d'un coup elle viendrait à bout d'au moins sept choux.

– Il dit des sornettes et roule des yeux comme un cheval échappé, fit le dragon qui s'était agenouillé pour aider son capitaine à chausser ses bottes. S'il savait à qui il a affaire, il sifflerait un autre air.

– Surveille tes paroles, drôle, lança le baron Maléfice au voleur. Si tu continues sur ce ton, mes hommes, dehors, sauront t'arranger de la belle manière!

– Mais laissez-moi donc en paix, grogna le voleur, je n'ai rien à voir avec vous. Ce n'est pas vous que je cherche.

– C'est ainsi que tu parles à un gentilhomme qui est officier de surcroît? s'écria le baron Maléfice. Avant de te pendre, je vais devoir t'inculquer l'étiquette et le protocole, tu sauras ainsi te présenter à Satan. Que cherchais-tu dans ma chambre? Réponds!

– Ce que je cherchais? A voir le maître de céans, pardi! fit le voleur du ton contrarié de quelqu'un qui répond à d'inutiles questions.

– Le maître, dis-tu? s'écria le baron Maléfice. Margret! Est-il de la maison? Le connais-tu?

D'autres dragons étaient entrés et l'âcre fumée des flambeaux et des torches envahissait la chambre. La fille qui avait découvert le voleur dans l'obscurité s'était assise au bord du lit. Elle enfila furtivement sa chemise, à l'insu des soldats présents, et tint sa jaquette entre ses genoux. Elle attendit un moment avant de répondre :

– Non, il n'est pas d'ici. Je ne le connais pas.

Le capitaine s'était levé; il s'approcha du voleur en faisant grincer le cuir de ses bottes.

– Pouilleux, teigneux, hirsute et loqueteux comme il est, dit-il en riant, il m'a tout l'air d'un envoyé du noble évêque venu apporter quelque invitation à souper. Fouillez ses poches! Il est sûrement de la bande d'Ibitz le Noir.

Deux dragons empoignèrent le voleur et visitèrent ses poches; l'un d'eux trouva le couteau que le voleur avait toujours sur lui et le brandit.

– Ne vous l'avais-je pas dit? s'écria le baron Maléfice. Il en voulait à ma vie. Et maintenant tu vas t'expliquer, mon gaillard : que fait ce couteau dans ta poche?

– C'est une pièce rare, balbutia le voleur avec un rire étranglé car la peur lui nouait la gorge. Je l'ai fait venir du Nouveau Monde par la flotte espagnole. Pour couper mon pain et mon fromage.

– Tu n'auras plus guère l'occasion de couper du pain et du fromage, ricana le baron Maléfice. Il s'est glissé dans ma chambre; il attendait que je m'endorme pour m'égorger. Lienhard, viens ici, tu es resté trois jours aux mains d'Ibitz le Noir. Observe-le et dis-nous s'il est de la bande.

Le dragon approcha sa torche résineuse du visage du voleur.

– Non, ce n'est pas un homme d'Ibitz le Noir, dit-il aussitôt. Je les connais tous : Afrom, Michel-de-Travers, le père Hibou, Adam le Pendu, le Pipeur et le Brabançon... Mais celui-ci, je ne le connais pas, Votre Grâce. Et puis, mon capitaine, nous avons encerclé toute la bande, nul ne saurait passer.

– Un homme seul peut tromper la vigilance de nos sentinelles, avança le capitaine. Il s'est bien introduit dans la maison! Du diable si je crois ce qu'il dit.

– Quoi qu'il en soit, il n'appartient pas à la bande d'Ibitz, affirma le dragon d'un ton ferme. Ils sont vingt et je les connais tous : Jehan le Fondeur, Jonas le Baptiste, Klaproth, Veiland, Feuerbaum et Matthieu le Fou... mais celui-là, je ne le connais pas.

– Diras-tu qui t'envoie! cria le baron Maléfice à l'adresse du voleur. Parle ou, par ma foi, je te fais donner l'estrapade et écarteler sur l'heure.

– Un gentilhomme m'envoie dont je suis le dévoué serviteur, je dis vrai, Votre Grâce, fit le voleur qui, se souvenant de la bague de Tornefeld, retrouvait peu à peu contenance. Il m'a dépêché auprès du gentilhomme de cette maison pour...

– Qui est ton maître? l'interrompit le baron Maléfice. Morbleu, la noblesse de ce pays a d'étranges laquais. Qui est ce gentilhomme qui prend à son service des gueux de ton espèce?

– C'est le filleul de Sa Seigneurie, déclara le voleur. Elle l'a tenu sur les fonts baptismaux. On m'a dépêché auprès d'elle pour...

– Le filleul de Sa Seigneurie t'envoie? s'écria le capitaine qui éclata d'un rire sonore. Diantre! Voilà qui change tout! Bienvenue dans cette maison et que

Dieu te bénisse si tu es le messager du filleul de Sa Seigneurie. Et quel âge a-t-il ce charmant jouvenceau?

– Je lui donne dix-huit ou vingt ans, je ne le connais pas depuis longtemps, dit le voleur surpris par le rire et les étranges façons du baron.

La fille, qui avait achevé de se vêtir, se fraya un passage entre les dragons pour s'approcher du voleur :

– Malheureux, dit-elle. Ton mensonge te perdra. Sa Seigneurie n'a de filleul nulle part au monde. Renonce à tes fables et implore à genoux la miséricorde du Christ.

– Par tous les diables! s'écria le baron Maléfice. Non! Je veux le voir suer comme à la broche. La plaisanterie ne fait que commencer. Il veut qu'on le conduise à Sa Seigneurie, nous le conduirons donc. Il pourra lui donner des nouvelles de son filleul! Suis-moi, mon gaillard! – Balthazar! Mes gants, mon écharpe!

Encadré par deux dragons qui portaient des chandelles, le voleur, les mains liées, gravit l'escalier à la suite du baron Maléfice. L'affaire atteignait son dénouement; il allait enfin voir messire von Krechwitz. Il brûlait d'une curiosité qu'avivait cette nouvelle énigme : pourquoi son ennemi mortel, ce persécuteur acharné qu'il vouait à la barbarie turque, pourquoi le baron Maléfice avait-il eu ce mauvais rire lorsque lui, le voleur, avait dit être dépêché par le filleul de Sa Seigneurie? Et la servante qui partageait la couche du baron : « Malheureux, Sa Seigneurie n'a de filleul nulle part au monde! » – Pourquoi? Quel homme était-il pour n'avoir de filleul nulle part au monde? Le moindre journalier a un filleul! Ce messire von Krechwitz était-il si dépravé, si vil, qu'aucune mère ne lui eût laissé tenir son enfant sur les fonts baptismaux? Il n'était pas chrétien, peut-être? Se pouvait-il qu'un Turc, un Tatar, un Maure gouvernât ce domaine? Était-il si pingre que le thaler d'usage lui...?

L'étonnement le cloua sur place. Tout s'éclairait. Il comprit. S'il n'avait eu les mains liées dans le dos, il s'en serait frappé le front. Le mystère s'éclaircissait enfin. Il comprenait maintenant pourquoi dans ce domaine personne n'était honnête, pourquoi une telle incurie régnait chez les valets, pourquoi les champs étaient gâtés et la bergerie infectée. Et il se traita de fieffé benêt de n'avoir pas deviné plus tôt. « Un agnelet se laisse tondre moins docilement, se dit-il avec un rire amer », et il serra les poings. Mais ils étaient déjà parvenus devant une porte entrouverte. Le baron Maléfice frappa et, avec la distinction et l'assurance que lui conférait sa naissance, il entra dans la pièce tandis que les deux dragons poussaient devant eux le voleur.

Oui, il avait deviné juste. Dans la pièce était une enfant, une toute jeune fille d'à peine dix-sept ans, frêle, délicate et belle comme un ange du ciel : telle était Sa Seigneurie, voilà qui gouvernait le domaine de Kleinroop! Le voleur vit aussitôt qu'elle avait les larmes aux yeux. Face à elle, accoudé à la cheminée, se tenait l'homme à la barbiche, le gentilhomme usurier, ce baron von Saltza de Düstersloh-Pencke, à qui l'intendant avait vendu le lévrier et le cheval de sa jeune maîtresse.

Le baron Maléfice, bien campé, son chapeau à plumes à la main, salua.

– Je viens peut-être mal à propos, fit-il. La noble demoiselle voudra bien me pardonner une intrusion si tardive mais je dois sauter à cheval à la première heure, demain matin, et je n'aurais pour rien au monde manqué de lui présenter mes hommages, espérant qu'elle me laissera une petite place dans son souvenir.

La jeune fille sourit et inclina légèrement la tête.

– C'est trop d'honneur, messire, bien trop d'honneur, dit-elle d'une voix suave. J'ai appris que vous vouliez partir et je le regrette. N'étiez-vous pas logé à votre convenance, messire?

Le voleur ne la quittait pas des yeux. Tous ses plans étaient à l'eau.

« Quelle tristesse, se dit-il. Elle est si jeune. Si je lui apprends que j'ai surpris la scélératesse de ses valets, elle ne me croira pas; c'est une enfant, elle pense que le monde est honnête. Et si je lui démontre qu'elle peut se nourrir et qu'elle peut nourrir ses gens rien que du lait de ses vaches et de la basse-cour, et vendre au marché l'excédent, elle ne me croira pas, son intendant lui a tenu un autre discours et le mien serait vain. Mon Dieu, qu'elle est belle, de ma vie je n'ai rien vu de plus beau! »

– J'ai été logé au mieux et m'en trouve comblé, fit le baron Maléfice avec une révérence. Les conditions étaient excellentes, tout était *à point* [1]. Mais je dois me lancer aux trousses de ces fauteurs de maléfices et les pincer une bonne fois. Nous avons cerné Ibitz le Noir et sa bande à la Renardière et il me faut rejoindre mes gens car demain, à l'aube, nous sonnons l'hallali.

« Ainsi va le monde, murmura le voleur qui se tenait près de la porte, encadré par les deux dragons. Il traque à mort les brigands cachés dans leur trou de renard, qui ne sont pourtant que de pauvres gens, mais les brigands de cette maison, qui volent et ripaillent effrontément, il ne les voit pas et les laisse courir... »

– Je souhaite que Dieu vous assiste, messire capitaine, dit la jeune fille. Ibitz et sa bande ont assez longtemps sévi sur nos terres et de l'autre côté, en Pologne. Il ne s'est guère passé de jour qu'ils n'attaquent une diligence ou volent des vaches. Vous êtes un vrai saint Georges, messire capitaine...

« Ce ne sont pourtant que de pauvres gens, murmura le voleur tandis que le capitaine, flatté, lissait ses volumineuses moustaches. S'ils avaient trouvé à temps gîte et subsistance, ils seraient restés honnêtes. Mais ainsi va le monde! Quant aux valets d'ici... »

– Si la demoiselle le permet, je vais prendre congé, fit l'homme à la barbiche d'une voix de crécelle. Je

1. En français dans le texte.

ne puis m'attarder. Et si mademoiselle changeait d'opinion, elle me trouverait demain encore à son entière disposition.

– Si messire mon parrain voulait bien me laisser Jason et Diana, répondit la jeune fille dont les yeux s'embuèrent à nouveau.

– Mademoiselle pourrait avoir autant de chevaux qu'elle le désire, remontra l'homme à la barbiche. Il ne tient qu'à elle. Ainsi que de belles toilettes, des colliers, des bagues, des invités tous les jours, toute une cour... il ne tient qu'à elle.

– Je suis navrée de ne pouvoir satisfaire messire mon parrain, répondit la jeune fille dont la voix prit une inflexion plus ferme. Messire mon parrain sait que ce n'est pas possible. Il faudrait que le soleil se dévie de sa course. J'ai juré fidélité à un autre et je l'attendrai jusqu'au jugement dernier, s'il le faut.

– Grand bien vous fasse, mademoiselle, repartit d'un ton cassant l'homme à la barbiche. En attendant, je reste votre serviteur. Mon traîneau est mis?

« Que les anges la protègent! chuchota le voleur épouvanté. Ce barbon dépravé la convoiterait-il? Autant marier la suie à la neige! »

– On a attelé. Le traîneau est dans la cour et le cocher attend, répondit la jeune fille. Je place tout mon espoir dans votre générosité, messire mon parrain. Laissez-moi Jason, rien que Jason, messire mon parrain!

– Il n'en est pas question, grommela l'homme à la barbiche. J'ai payé le cheval et le chien en espèces sonnantes. On n'en serait pas là si l'épargne avait eu cours ici. Un kreutzer en appelle un autre, un gulden ne tarde pas à se multiplier. Mais cette maison n'en a cure, et quand le feu prend mal, les souillons l'attisent avec du beurre...

– Qu'a besoin messire d'un chien de race, lança le baron Maléfice du seuil où il se tenait. Un bâtard de chasse ferait l'affaire de messire...

L'homme à la barbiche se tourna vers lui et lui décocha un regard outragé.

– Je vous serais obligé, messire, de vous mêler de vos affaires, fit-il d'une voix grinçante. Je n'ai pour ma part jamais considéré les vôtres. J'ai des ennemis dans ce pays, je le sais, mais d'aucuns envient ma position.

Le baron Maléfice fit une moue dédaigneuse et rejeta la tête en arrière.

– Je suis un homme pauvre, dit-il. La patente impériale et ma bonne conduite : voilà tout mon bien. Pour mille thalers je ne voudrais être dans votre peau.

– Ma peau n'est pas à vendre, messire, disposez de la vôtre, hurla l'homme à la barbiche, soudain empourpré et les yeux exorbités. Écartez-vous, messire! Laissez-moi passer!

– Pourquoi ces cris, messire? Serait-ce que la rage vous prend? demanda posément le baron. A enfler de la sorte vous risquez d'éclater comme Judas au bout de sa corde.

– Comme Judas au bout de sa corde? hurla l'homme à la barbiche, qui haletait. Vous oubliez à qui vous parlez, messire. Je suis également gentilhomme, prenez garde. Mon sabre sait être prompt.

Faisant un pas de côté, le baron Maléfice désigna la porte ouverte :

– Je puis vous satisfaire sur-le-champ, messire, et vous invite à un combat loyal, en bas, dans la cour.

– Serviteur, messire, serviteur! s'écria l'homme à la barbiche qui avait déjà gagné la porte. Je n'ai pas le temps de vous écouter davantage. Une autre fois. Il suffit pour aujourd'hui, mes affaires pressent.

Et, le maintien raide, il dévala l'escalier aussi vite qu'il put. Le baron Maléfice le suivit un moment des yeux puis se tourna de nouveau vers la jeune fille.

– Que mademoiselle accepte mes excuses, déclara-t-il en mettant chapeau bas, mais soit dit avec l'infini respect que je vous dois, messire votre parrain est un capon. Il ne mérite pas même un coup d'épée. Le soufflet du premier gamin venu le renverserait.

– Il me tourmente pour mieux vaincre ma résistance, fit la jeune fille avec un pâle sourire. Il se dit prêt à m'épouser par amitié pour mon défunt père et pour me tirer d'embarras.

– La belle amitié! s'écria le baron, je crains moins celle du loup. Mais vous disiez que vous étiez promise... M'est-il permis de demander quel heureux élu peut se vanter d'avoir votre affection?

Le voleur tressaillit, comme tiré du rêve où l'avaient conduit d'étranges pensées : il n'était plus un voleur, soudain, mais un homme tout autre, le promis de cette noble enfant; il la tenait dans ses bras et leurs joues se touchaient...

Il trembla de frayeur et son âme gémit.

« Non! Non! supplia-t-il intérieurement. Dieu me préserve de désirer ce qui ne peut être mien!... »

– Je ne vous le cacherai pas, messire, car vous avez toujours été bon pour moi, dit la jeune fille. C'est un gentilhomme suédois, un ami d'enfance. Mais je suis sans nouvelles de lui depuis fort longtemps et souvent je pense : il t'a oubliée, mais jamais tu ne l'oublieras... Parfois, cependant, je me surprends à espérer que tout est encore possible et que le bonheur vient vers moi à grandes guides. Il se nomme Christian, c'est un filleul de mon père et nous sommes cousins par ma mère.

« C'est donc lui... est-ce possible? se dit le voleur abasourdi. C'est ce freluquet de haute volée qui a gagné son cœur, ce faquin qui prend de grands airs lorsqu'il est au chaud mais ne cesse de gémir dès qu'il a froid aux oreilles. Elle a juré fidélité à ce poltron aux talons rouges! Comment est-ce possible! Pendant ce temps, lui ne jure que par le roi de Suède et c'est à la guerre qu'il pense – mais où il n'ira pas sans sa toque de fourrure de peur de prendre froid. Et il lui faut de surcroît une redingote française, un équipage et de l'or plein les poches, des bas de soie et Dieu sait quoi, du taffetas, du satin pour s'y moucher le nez!... »

– Que dites-vous, mademoiselle? s'étonna le baron Maléfice. Un filleul du père de mademoiselle? Se pourrait-il que ce gaillard ait dit vrai? Je l'ai amené...

Approche, gibier de potence! Voici Sa Seigneurie, salue bien bas et dis qui t'envoie!

Le voleur avança, fit une révérence mais veilla à se tenir hors du cercle lumineux de la lampe. Le visage dans l'ombre, il ne bougeait pas. « Je ne dois pas parler! Je ne dois pas parler! Pas un mot de ce blanc-bec!... » Une force inconnue lui commandait de garder le silence, de cacher que Tornefeld l'envoyait.

– Que restes-tu là à contempler la demoiselle comme un Maure la première neige? le tança le baron. Diras-tu enfin qui t'envoie?

« Non! Non! Non! criait la voix en lui. Elle ne doit pas savoir. Elle va s'empresser de vendre tout ce qui lui reste, les robes de ses coffres, la dentelle de ses chemises, les draps blancs; elle va se déposséder de tout pour lui procurer les redingotes et les bas d'apparat qu'il réclame. Il ne faut pas qu'elle sache!... »

Il baissa la tête et dit tout bas :

– Personne ne m'envoie.

– En voilà de belles! s'écria le baron Maléfice. Tout à l'heure, en bas, ne prétendais-tu pas être l'envoyé d'un gentilhomme, filleul de Sa Seigneurie?

– Je mentais, dit le voleur avec un profond soupir.

– Je l'aurais juré, grommela le baron. Si tu crois qu'on échappe à la corde avec des mensonges!

La jeune fille s'approcha à pas silencieux du voleur et se tint devant lui. Mais il détourna le visage pour ne pas la regarder dans les yeux.

– D'où viens-tu, pauvre homme? demanda-t-elle.

Tu dois avoir parcouru un long chemin. La faim se lit sur ton visage, descends vite aux cuisines et fais-toi servir une panade. Mais auparavant, dis-moi si c'est Christian Tornefeld qui t'envoie. Où est-il? Pourquoi ne vient-il pas lui-même?

« Si je lui dis où il se trouve, elle courra le rejoindre, pensa le voleur. Et si elle n'a plus ni voiture, ni cheval, elle ira à pied à travers la neige. » Et il crut voir Tornefeld, le visage illuminé, tenant la jeune fille dans ses bras tout comme lui-même l'avait tenue un instant auparavant dans son rêve insensé.

Il fixait le sol obstinément.

– Je ne le connais pas, dit-il. Je ne sais rien de lui.

– Je l'aurais juré, fit à nouveau le baron. Que ferait ce va-nu-pieds au service d'un gentilhomme! Je donnerais ma main à couper qu'il est de la bande d'Ibitz. Je vais te délier la langue, mon gaillard! tonna-t-il. Que cherchais-tu ici? Pourquoi t'es-tu introduit dans cette maison?

Le voleur sentit la sueur lui glacer le front; il vit sa dernière heure arrivée mais sa décision était prise : pour rien au monde il n'aurait parlé.

– Je suis entré pour voler, fit-il plein de défi.

– Le gibet t'attend, mon gaillard, déclara le baron. Remets-t-en à Dieu, tu es bon pour la corde.

– Ne le pendez pas, supplia la jeune fille qui étouffa un cri. Il a l'air si pauvre, si malheureux. L'existence n'a pas dû lui être clémente.

– Cet infâme scélérat a l'air prêt à toutes les facéties, clama le baron en fronçant les sourcils.

Je sais mieux que mademoiselle comment traiter la canaille.

– Ne le pendez pas, fit la jeune fille en levant les mains dans un geste de supplication. Il n'est coupable que d'être pauvre et à demi mort de faim. Laissez-le aller, capitaine, je vous le demande!

Le voleur frémit. Pareils accents lui étaient étrangers. Sa vie durant, on l'avait honni et frappé, menacé de la geôle et du gibet, les enfants dans la rue lui jetaient des pierres. Et voici que cette noble enfant le prenait en pitié. Lui qui, sans faiblir, avait regardé la mort dans les yeux, chavirait à présent. Sa gorge se nouait, son visage tremblait. Il brûlait de se dévouer pour elle mais il refusait de lui dire que Tornefeld attendait au moulin. Non, il ne pouvait le lui dire!

– Je ne souhaite rien tant que vous servir, mademoiselle, vos désirs sont des ordres, fit le baron Maléfice qui cachait mal sa contrariété. Ce gaillard ne me dit rien qui vaille. Mais puisque mademoiselle insiste... Drôle, c'est à la clémence de Sa Seigneurie que tu dois d'avoir la vie sauve.

De la cour monta le hurlement insistant d'un chien.

– Je vous suis très obligée, capitaine, et je n'oublierai pas votre geste, fit hâtivement la jeune fille. C'est Jason, l'entendez-vous? messire. Il pleure parce que je ne suis pas auprès de lui. Il sait qu'on va l'emmener, lui et Diana. A présent je dois aller prendre congé de mes chers compagnons.

Elle s'élança hors de la pièce et dévala l'escalier.

Le baron Maléfice la suivit d'un pas lent. Au moment de franchir le seuil, il se retourna une dernière fois :

– Je donnerais ma main à couper qu'il fait partie de la bande d'Ibitz, fit-il avec humeur. Tu échappes au gibet, mon gaillard, mais non à la bastonnade. Emmenez-le et tannez-lui un peu le cuir. Qu'on le relâche au bout de vingt-cinq coups. Ce renard pourra ainsi rejoindre son maître, le noir Ibitz, et lui annoncer que l'attaque est pour demain. La Renardière va sentir la poudre. Attendez-vous à une joyeuse battue!

Le voleur était en bas, dans la cour, le visage tourné vers le mur. Deux dragons le tenaient par les bras tandis qu'un troisième faisait voler le bâton de coudrier. Les coups pleuvaient sur son dos et à cent pas de là, la noble enfant qui gouvernait les lieux prenait congé de ses chers compagnons. Elle avait passé les bras autour de l'encolure du cheval et son chien jappait en sautant après elle.

Adieu, Diana, murmura-t-elle d'une voix triste et attendrie, je t'ai soignée avec amour. Dieu te garde, mon Jason, il faut nous séparer.

Emmitouflé jusqu'au yeux, l'homme à la barbiche attendait dans son traîneau; il trouvait les adieux un peu longs et frappait impatiemment ses deux poings l'un contre l'autre.

Le voleur ne pouvait voir la scène, mais il entendait les jappements du chien et les hennissements du cheval. La badine sifflait mais le voleur ne bronchait pas.

– Frappez! Frappez! sifflait-il entre ses dents serrées. Je ne suis pas de haut lignage et ne pratique pas votre vile usure. Frappez! Frappez! Plus d'ardeur! Je ne suis qu'un pauvre manant, peu me chaut de saigner le déshérité, de lui voler son équipage. Frappez! Frappez! Noble engeance, que cet homme à barbiche qui fuit devant le sabre du capitaine, que ce Tornefeld qui veut aller à la guerre mais craint d'avoir froid aux doigts. Frappez! Frappez! Je suis d'un autre bois. Je ferais un gentilhomme autrement convaincant...

Et son esprit enfiévré concevait déjà des chimères : il n'était plus vagabond ni voleur mais gentilhomme; son devoir lui ordonnait de rentrer afin de discipliner les valets et de régler sa maison car tout ici, la jeune fille, la demeure, la ferme, les terres, tout lui appartenait. « J'ai trop longtemps partagé le pain des indigents, se dit-il tandis qu'il haletait. Je veux prendre place à la table des maîtres. Et cette pensée, née du feu de la souffrance, l'envahit tout entier. » Chaque coup qui frappait son dos la gravait plus profondément dans son âme. La badine alla voler dans la neige mais le voleur ne s'aperçut pas que le châtiment était terminé. L'un des dragons lui tendit sa chemise et sa veste et lui fit boire une gorgée de son brandevin.

– Et maintenant, file, lui conseilla-t-il. Que notre capitaine ne te revoie pas!

Pensant que ses jambes ne le portaient plus, ils le prirent sous les bras pour l'aider à gagner le portail.

Mais le voleur se dégagea et, d'un pas titubant mais non sans fermeté, traversa la cour enneigée.

Parvenu à l'entrée, il se retourna. Il vit la jeune fille, la demeure, la ferme avec la herse renversée qui pointait ses dents à travers la neige, et il embrassa du regard tout ce qui désormais était sien. Puis il tourna les talons.

Le vent lui cinglait le visage, la neige crissait sous ses pas. Et les érables bordant la route penchaient vers la terre leurs branches fouettées par le vent comme s'ils pressentaient le cours des choses et saluaient en cet homme qui s'éloignait le maître à venir.

Il laissa derrière lui le village où aboyaient les chiens et où pleurait la cornemuse et prit le chemin du moulin. Il n'avait encore aucun plan en tête. Il savait seulement que le dos lui brûlait et qu'il reviendrait bientôt en ce lieu en qualité de gentilhomme, cousu d'or, à cheval et coiffé du chapeau à panache. Replonger dans l'enfer de l'évêque était impensable, il ne pouvait tenir la promesse faite au fantôme du meunier. « Je ne me suis pas encore vendu au Malin, se dit-il tandis qu'il enfonçait jusqu'aux genoux dans la neige. Le marché est-il conclu? Pas que je sache! Aucun marché ne tient qu'un verre de brandevin n'ait scellé. Le meunier a lésiné sur l'eau-de-vie, il voit ce qu'il lui en coûte. Le dragon qui m'a soutenu tandis que l'autre me frappait n'a pas hésité à me tendre sa gourde! Oui, frère! Merci, frère! J'ai bu au jour de mon retour. Voilà un marché qui tient. Oui, frère, topons là! »

Mais l'enfer de l'évêque! Quel honneur! Quelle insigne faveur! Non, c'était révolu. Il voulait retourner dans le monde, combattre une nouvelle fois les puissances qui lui avaient été hostiles sa vie durant. Le grand jeu de dés l'appelait, il voulait de nouveau tenter sa chance. Lui, le voleur qui n'avait jamais pu soutirer à l'âpre paysan de quoi assouvir sa faim une seule fois, pressentait qu'il n'avait qu'à tendre la main, que la fortune l'attendait.

Cet arcane dont Tornefeld tirait vanité, il se l'octroierait; il en avait besoin. Dès qu'il aurait en poche ce parchemin consacré ou ce qui en tenait lieu, sa fortune serait assurée. Quant à Tornefeld, il s'en passerait et se débrouillerait tout seul dans l'armée suédoise.

L'armée suédoise? Non, il ne fallait pas que Tornefeld rejoignît ses rangs, il ne fallait pas qu'il revînt en cavalier empanaché. Elle l'aimait, le chérissait, il devait disparaître à jamais!

« Qu'il rallie l'évêque et son enfer! murmura le voleur. »

A peine eut-il formulé ce vœu qu'il sut comment se débarrasser de Tornefeld et tenir la parole qu'il avait donnée au meunier. Tornefeld irait à sa place dans l'enfer de l'évêque. Pendant neuf années? Toute l'éternité même! Le noble jouvenceau ne survivrait pas deux mois à l'épreuve des fourneaux et des carrières, l'enfant choyé ne résisterait pas longtemps au fouet du bailli et de ses valets. De plus robustes que lui avaient péri devant que les neuf années ne fussent écoulées.

Tout à son dessein, le voleur imaginait Tornefeld couché dans la neige tel qu'il l'avait vu le matin même : désespéré, mort d'épuisement. Et de nouveau, il eut un élan de pitié envers cet enfant qui gisait là et discourait sur l'honneur de son rang. Il brûlait de lui dire : « Lève-toi, frère ! Lève-toi ! Je ne t'abandonnerai pas. » Mais il réprima son mouvement. Cela ne devait pas être. Tornefeld devait disparaître à jamais.

– Va-t'en ! Va-t'en ! s'écria-t-il, et le vent sifflait, emportant la neige et sa voix. Je ne suis rien pour toi. J'ai vu la jeune fille pleurer, je ne l'oublierai pas...

Ces mots, qui condamnaient Tornefeld, scellèrent l'adieu du voleur à son compagnon d'infortune.

Parvenu à un jet de pierre du moulin, le voleur vit soudain le fantôme du meunier; il était là devant lui, droit jailli des entrailles de la terre, vêtu de son manteau de roulier et coiffé du chapeau à panache. Le voleur se disposait à passer outre mais de hautes congères, de part et d'autre, empêchaient le passage et le meunier lui barrait le chemin.

– Laissez-moi passer, messire, fit le voleur dont les dents claquaient. Je veux aller m'abriter. Il fait froid et la nuit sera plus froide encore, j'ai entendu crier l'aurochs.

– Que t'importe la nuit froide, dit en riant le meunier d'une voix qui semblait monter des profondeurs d'un puits. Tu n'en souffriras pas. Tu seras dès ce soir aux fourneaux à extraire le charbon des flammes!

– Pas si vite, objecta le voleur qui avait retrouvé son aplomb. Patientez jusqu'à demain, messire. Nous sommes mercredi, c'est un mauvais jour : Jésus, Notre-Seigneur, fut vendu et trahi ce jour-là.

Le voleur pensait qu'au saint nom de Jésus, le fantôme disparaîtrait et retournerait en purgatoire, mais le meunier ne bougeait pas et le regardait droit dans les yeux.

– Je ne peux pas attendre, fit-il en secouant la neige de son manteau. C'est aujourd'hui que tu dois me suivre. Demain je ne serai plus ici.

– Je sais, je sais, gémit le voleur qui sentait des frissons lui parcourir l'échine. Demain vous serez un petit tas de cendre et de poussière. Laissez-moi aller, messire, et je dirai pour vous un Miserere, ainsi qu'un De profundis – qui est le mets de prédilection des pauvres âmes.

– Ravale tes sornettes! s'écria le meunier. Quel bouffon je remorque là! Garde ton De profundis, je pars demain à la première heure pour Venise. Je dois rapporter à mon noble maître des verres taillés, du velours, des tapisseries brochées d'or et deux bichons espagnols, lesquels sont en vogue.

– Qu'a besoin l'évêque de velours et de tapisseries brochées, grommela le voleur qui n'avait jamais souffert les grands de ce monde. Qu'il partage son bien avec les indigents de ce pays au lieu de vivre dans le faste!...

– Mon noble maître est non seulement évêque mais prince séculier, l'instruisit le meunier. Celui que tu vois passer dans un carrosse doré tiré par six chevaux, c'est le prince. Mais si tu vas à l'église le jour de Notre-Dame, tu verras l'évêque dans toute sa simplicité.

– Et quand le diable viendra chercher le prince, qu'en sera-t-il de l'évêque? railla le voleur.

– Tais-toi! s'écria le meunier outragé. Surveille tes paroles, marouffle! Et maintenant prépare-toi à me suivre afin d'apprendre à gagner ton pain d'honnête façon.

Le voleur ne bougea pas.

– Je me suis ravisé, dit-il. Je ne vous suis pas, messire.

– Que dis-tu là? s'écria le meunier. Tu ne veux pas me suivre en lieu sûr? Insensé! La guerre a mis le pays à feu et à sang. La pestilence règne. Au domaine de l'évêque tu trouveras la paix.

– Ce n'est pas la paix que je cherche, dit le voleur. Je veux aller de par le monde et vivre en homme libre.

– Trop tard, le brusqua le meunier. Nous avons conclu un marché, tu dois me suivre. J'ai ta parole.

– Non, messire, vous ne l'avez pas, rétorqua le voleur. Un marché ne tient pas s'il n'est scellé d'un verre de brandevin. Sur terre, tel est l'usage mais j'ignore ce qu'il en est en enfer.

– Du brandevin! Que me chantes-tu, s'écria le

meunier. Ne t'ai-je point dûment régalé de pain, de saucisse et de bière?...

– La dette sera acquittée, assura le voleur. Mon compagnon qui attend là-bas au moulin vous escortera à ma place, messire.

– Celui qui attend là-bas? pesta le meunier. C'est toi que je veux, non ce godelureau. Qu'a besoin mon noble maître d'une bouche inutile? Ce jeune fat coûterait davantage en un jour qu'il ne rapporterait en une semaine.

– La faim et les privations l'ont affaibli, argumenta le voleur. Laissez-le seulement reprendre des forces et vous le verrez bientôt manier avec dextérité le chauche-branche et briser le roc à mains nues.

– C'est toi que je veux, pas l'autre! cria le meunier qui, s'approchant du voleur, lui toucha du doigt la poitrine. C'est avec toi que j'ai conclu ce pacte. Je ne te lâcherai pas.

Le malheureux sentit la main glacée du fantôme peser sur lui tel un étau. Il haletait : la chimère lui étreignait le cœur de ses serres d'acier. Cette pauvre âme sortie du purgatoire disposait d'une force surhumaine. Le voleur restait cloué là sans pouvoir fuir. Mais dans sa détresse, il retrouva soudain l'invocation, la bonne, celle qui avait pouvoir de chasser les spectres. Et, pantelant, la respiration sifflante, il jeta dans l'obscurité de la nuit les mots consacrés :

Au nom de Jésus et Marie,
Tombe à deux genoux et supplie

La Douce Vierge et son enfant
De sauver ton âme en tourment.

– Qu'as-tu à brailler de la sorte? Sommes-nous à vêpres ou à complies? fit la voix du meunier lequel gisait à terre.

Le voleur à présent respirait et bougeait librement : la chimère avait disparu.

– Aide-moi à me relever! s'écria le meunier. Mordieu, pourquoi m'as-tu poussé? Me voilà par terre, dans la neige!

Le voleur savait bien qu'il n'avait pas poussé le bonhomme. L'invocation formulée au bon moment avait agi, forçant le fantôme à lâcher prise et à plier le genou. Il se pencha sur lui et demanda :

– Suis-je libre? Puis-je disposer, messire?

– Disparais! Je n'ai que faire de toi, s'écria le meunier tout en saisissant la main que lui tendait l'autre. Je connais ton ramage à présent. Cours, va te faire pendre ailleurs, je ne veux plus avoir affaire à toi.

La voix était libre. Le voleur jubila secrètement; puis il se détourna et prit le chemin du moulin. Il avait gagné la partie : le meunier qui, une fois l'an, quittait sa tombe afin de rembourser un pfennig de sa dette à son ancien maître, ce fantôme qui donnait à l'évêque son tribut de chair et de sang, n'avait plus prise sur lui. Mais une autre partie l'attendait. Il allait devoir affronter Tornefeld qu'il voulait précipiter dans l'enfer de l'évêque après lui avoir ravi son nom, sa condition et le prodigieux arcane...

En voyant le voleur entrer, Tornefeld bondit de son banc.

– Te voilà enfin! fit-il d'un ton contrarié – et il se frotta les yeux. Tu oses faire attendre un gentilhomme!

Le voleur s'empressa de refermer la porte car un tourbillon de neige s'engouffrait déjà dans la pièce.

– Je suis venu aussi vite que j'ai pu. Et pour cause!

– Eh bien? Où en sont mes affaires? demanda Tornefeld.

– Elles sont plutôt confuses. Les nouvelles ne sont guère réjouissantes, répondit le voleur en suspendant son manteau cent fois rapiécé au-dessus de l'âtre.

– Ne t'es-tu pas entretenu avec mon cousin? s'enquit Tornefeld.

– Non, fit le voleur. Il a pris la dernière malle-poste et n'accorde plus d'entretien.

– Dis-tu vrai? Mon cousin est mort! s'écria Tornefeld.

– Je te le jure, assura le voleur. Que j'aille en enfer si je mens. Il est mort. Te voilà seul et abandonné, frère!

– Mort! Messire mon parrain est mort! Et moi qui plaçais tout mon espoir en lui, murmura Tornefeld consterné. C'était le cousin de mon père et son ami fidèle. Dieu ait leur âme à tous deux. Et qui régit à présent le domaine?

– Une jeune fille, répondit le voleur en fixant les

flammes. Une enfant. Si bonne, si jeune. Et belle comme un ange du ciel.

– La demoiselle est sa fille : Maria Agneta est ma cousine! s'écria Tornefeld. Si elle est encore là, je suis tiré d'affaire. Lui as-tu parlé?

– Oui, mentit le voleur. Elle ne se souvenait plus de toi. Je lui ai alors montré la bague...

– Et elle a compris qui t'envoyait, fit Tornefeld rassuré. Lui as-tu dit que j'étais ici, au moulin, et que j'avais besoin d'un attelage, d'un manteau et de...

– Elle a écarté ma demande, poursuivit le voleur. C'est à peine si elle peut assurer sa subsistance, m'a-t-elle dit. Elle a dû vendre la ferme en raison des dettes. Les coffres sont vides et elle a mis en gage coupés et chevaux. Elle conseille à messire son cousin de rejoindre l'armée par ses propres moyens.

– Les coffres sont vides! répéta Tornefeld accablé. Et pourtant quel faste, jadis! Les broches tournaient sans désemparer, les convives se pressaient dans les salons, les bassins regorgeaient de poissons et les saloirs de gibier! L'or ne manquait pas, en ce temps, et messire mon parrain eût pu ériger trois églises à douze tours sans se priver.

Il se tut et laissa retomber sa tête. Puis il reprit avec un sourire las :

– La demoiselle ne se souvenait pas de moi! Les années ont passé, il est vrai. Nous étions l'un et l'autre des enfants. Nous nous sommes juré de nous aimer fidèlement, mais le temps a fait son œuvre...

Il se mit à arpenter la pièce, puis vint se camper devant le voleur.

– Je suis seul au monde et ne puis attendre aucune aide. Mais il faut que je rejoigne l'armée suédoise. Coûte que coûte!

– Le faucon voudrait s'envoler mais il n'a pas de plumes, railla le voleur. Ton roi se passera de toi.

– Tais-toi! s'écria Tornefeld. Crois-tu que je vais reculer parce que j'ai les poches vides? Je suis Suédois et gentilhomme. Je partirai aujourd'hui même. Je dois servir mon roi!

Il porta vivement la main au côté, à l'épée qu'il n'avait plus. Puis il s'approcha de la fenêtre.

– Le vent siffle et rudoie la neige, fit-il d'une voix anxieuse. La nuit fait le diable à quatre.

– Oui, ce soir les loups iront à confesse, renchérit le voleur. Tu veux partir, mais tu n'iras pas loin, frère, pas plus loin que ta pierre tombale.

– Le jour, je ferai quelques lieues, reprit Tornefeld. Et le soir je me réchaufferai dans les fermes. Les paysans me feront bien grâce d'une chope de bière et d'une assiettée de panade. Je partirai demain, au petit jour.

– Hélas, frère! fit le voleur d'un ton faussement affligé. Je ne t'ai pas tout dit. Les mousquetaires! Je donnerais ma vie pour te tirer de là. Mais je crains fort que l'éternité ne t'ouvre ses portes.

– Les mousquetaires? Que dis-tu là? balbutia Tornefeld dont le front se couvrit de sueur. L'éternité m'ouvre ses portes, dis-tu? Dieu de vie! Parle, je t'en conjure!

– Les mousquetaires de l'empereur t'ont jugé pour désertion. L'arrêt te déshonore et te condamne à mort.

– Je sais, dit Tornefeld qui s'épongeait le front. Mais ils sont loin...

– Non, frère, ils ne sont pas loin, mentit le voleur. Toute une compagnie a pris ses quartiers au domaine. Et le capitaine de ces mousquetaires impériaux... Jésus, Marie!...

Ses yeux s'ouvrirent tout grands. Le meunier était sur le banc près du poêle, vêtu de son pourpoint rouge. Nul ne l'avait vu entrer. Il retroussait les babines et toute sa face torve riait. Les jambes croisées, il entonna d'une voix de crécelle :

Qui avance au trot
Entre deux corbeaux
Sans bouger d'un pas sous la nue?
Qui donc tourne en rond
Où la mort tournoie?...

– Cessez, messire, vous m'importunez! cria Tornefeld au meunier, le visage grimaçant d'effroi.

Puis se tournant vers le voleur :

– Dis-tu vrai? Les as-tu rencontrés?

Le voleur voyait le désarroi de Tornefeld. Mais il ne ressentait pas une once de pitié. Son cœur était de pierre.

– Que je sois haché menu si je mens, assura-t-il en jetant un regard craintif au fantôme du meunier. J'ai marché aussi vite que j'ai pu pour t'en avertir.

Apprenant que tu étais au moulin, le capitaine a juré par tous les diables qu'il te verrait pendu. Et ses brigadiers, assis près de l'âtre, jouaient aux dés pour désigner qui te conduirait au gibet...

Tornefeld poussa un cri. Il sentait déjà la corde sur son cou et son visage ruisselait de sueur.

– Je dois partir, lanca-t-il, haletant. Ils ne doivent pas me trouver ici. Ne m'abandonne pas, frère, aide-moi à me tirer de là. Je t'en serai reconnaissant ma vie durant.

Le voleur haussa les épaules pour montrer son impuissance.

– La neige est dure et profonde, observa-t-il. Tu ne leur échapperas pas. Ils te rattraperont.

A ces mots, le meunier reprit son chant de crécelle et battit des mains en cadence :

Qui donc tourne en rond
Où la mort tournoie
Et qui danse en vain
Aux pipeaux du vent
La tarentelle des perdus ?...

– Taisez-vous, messire, cherchez-vous à me contrarier ? Je ne le souffrirai pas davantage, s'écria Tornefeld en portant rageusement la main à l'épée qu'il n'avait plus. Mais déjà la frayeur mortelle l'avait repris et il implora le voleur, qu'il nomma son frère et son ami le plus cher, de l'aider et de lui sauver la vie.

Le voleur fit mine de réfléchir.

– Ton sort me touche, dit-il. Je te voue l'amitié d'un frère. Je t'aiderai. Tu voulais rejoindre l'armée suédoise mais le monde réserve au gentilhomme ses lacs mortels. L'homme du commun sait les déjouer. Donne-moi l'arcane que tu serres jalousement dans ta redingote, j'irai à ta place auprès de ton roi.

– L'arcane? Non! s'écria Tornefeld. Je ne le remettrai qu'entre les mains du roi. Je l'ai promis à mon père sur son lit de mort.

– Suis mon conseil... ou bien le bourreau! fit posément le voleur. On peut aussi mourir au gibet pour son roi. Dans une heure les mousquetaires seront là, tu connais l'issue...

Tornefeld se couvrit le visage de ses mains et murmura d'une voix gémissante :

– Frère! A dire vrai, mon courage n'y suffira pas, je le sais. Je veux avoir la vie sauve. Je crains la mort et l'éternité comme l'enfer... Tiens, prends!

Il tira l'arcane de sa poche. C'était un livre imprimé. Le voleur le saisit à deux mains et le tint fermement, de peur que Tornefeld ne vînt à le lui reprendre.

– C'est la bible de Gustave Adolphe; il la portait sous sa cuirasse lorsqu'il tomba à la bataille de Lützen, confia Tornefeld. Elle est tout imprégnée de son noble sang. Mon père la tient de son père, lequel commandait alors le régiment bleu. Remets-la au roi en main propre. J'avais espéré qu'elle favoriserait ma carrière au sein de l'armée suédoise; peut-être fera-t-elle ta fortune... Et maintenant, frère, que va-t-il advenir de moi?

Le voleur avait fait disparaître la bible sous sa jaquette.

– Là où je te conduis, tu seras en lieu sûr, dit-il. Une place m'est consentie aux forges de l'évêque. Tu iras pour moi. Tu y seras à l'abri des mousquetaires car messire l'évêque a sa propre juridiction. Tu resteras là-bas jusqu'à ce que ta peine soit levée et serviras fidèlement l'évêque en attendant.

– Je m'y engage et te remercie, frère. Je te le revaudrai ici-bas et là-haut, fit Tornefeld qui embrassa d'un geste large la terre et le ciel.

– Le pacte est conclu? s'écria le meunier toujours assis sur son banc. Alors buvez un verre ou deux de ce brandevin de Strasbourg et trinquez pour sceller le marché!

Il se leva, posa la bouteille et les verres sur la table. Mais Tornefeld secoua la tête.

– Je n'ai pas le cœur à festoyer, fit-il d'une voix blanche. Ah, frère! Me voici bien bas!

– Crois-tu qu'on est mieux là-haut sur l'échelle patibulaire? railla le voleur. La vie est un bien précieux et fragile, le sage sait la préserver. Bois, frère! Bois à saint Jean qui te gardera du Malin.

– Je bois à mon roi! lança Tornefeld qui prit son verre en regardant fixement devant lui. Je bois au Lion du Nord : pour qu'il conquière un vaste royaume! Dans son jardin pousse une fleur nommée « couronne impériale ». Je bois pour qu'il resplendisse encore longtemps! Et je bois à la santé de tous les braves soldats suédois – dont j'ai quitté les rangs...

Il vida son verre d'un trait et le jeta contre le mur où il se brisa.

Il faisait froid dans la pièce. La bougie sur la table était presque consumée et sa flamme vacillait. La chimère qui s'était glissée par les fentes de la porte oppressait Tornefeld.

Le meunier se leva, la nuque tendue.

– L'heure est venue, il est temps que tu viennes avec moi.

Les trois hommes se dirigèrent vers la porte. Le vent avait cessé de hurler, l'air était froid et transparent, la lune éclairait faiblement les versants neigeux et les forêts obscures. Tornefeld scruta la nuit, cherchant des yeux les mousquetaires lancés à ses trousses, mais rien ne bougeait. Il ne vit que la brande enneigée où couraient des sentiers, les champs, les arbres et les taillis, les pierres et les marais; au loin brillait la lumière d'une masure.

– Promets-moi de remettre la bible entre les mains du roi, supplia Tornefeld dans un murmure.

– Je te le promets devant Dieu, frère, fit le voleur qui d'un geste ample montra les taillis, les carrières, les marais et les champs plongés dans la nuit. J'ai toujours respecté nos engagements.

Mais il murmura ensuite à part soi :

« Le roi est bien assez riche, qu'a-t-il besoin de ce talisman? Pour moi, je le tiens, j'en ferai bon usage et ne le céderai à personne, fût-ce au diable. »

A la croisée des chemins les deux compagnons prirent congé.

– Tu m'es venu en aide et je te remercie du fond

du cœur, frère, dit Tornefeld. La loyauté n'est pas un vain mot. Adieu, et si la fortune te sourit, pense à moi!

Parvenu en bordure de la forêt, le meunier émit un sifflement strident et trois hommes sortirent du couvert des arbres, trois rudes gaillards dont la face grossière semblait marquée au feu. L'un d'eux posa sa main velue sur l'épaule de Tornefeld.

– Où as-tu ramassé ce mignon? demanda-t-il avec un rire tonitruant. C'est de bouilli qu'il faudra le nourrir!

– Ôte ta main de mon épaule, le rabroua Tornefeld. Je suis gentilhomme et accoutumé à d'autres façons.

– La belle affaire! s'écria le second – et tous deux tombèrent sur lui à bras raccourcis.

– Pourquoi me frappez-vous? Que vous ai-je fait? hurlait Tornefeld indigné.

– Ce n'est là qu'une petite manifestation de bienvenue, rien de plus, elle te donnera le ton, firent les deux hommes en riant.

Et, le frappant à tour de bras, ils l'entraînèrent à l'autre bout de la forêt : jusqu'en ce lieu où les toits crachaient des flammes, où le minerai en fusion gémissait dans sa cuve.

Le troisième gaillard était resté près du meunier. Il désigna le voleur lequel filait sans se retourner sur la neige où brillait la lune.

– L'autre a pris les jambes à son cou, s'étonna-t-il. De ma vie, je n'ai vu pareils bonds! T'aurait-il échappé?

Le meunier secoua la tête.

– Non pas, fit-il avec un rire silencieux. Je le retrouverai. Il prétend rejoindre l'armée suédoise mais il n'en fera rien. L'or et l'amour l'attendent au bord du chemin...

DEUXIÈME PARTIE

Le brigand de Dieu

La bible de Gustave Adolphe sous le manteau, le voleur allait son chemin parmi les taillis et les bois, les rochers et les marais, en direction de la Renardière où Ibitz le Noir avait son campement.

Il allait devoir traverser la ligne de sentinelles qui avaient encerclé la Renardière mais il ne s'en effrayait pas. Il était voleur et avait le don de se rendre invisible quand le danger menaçait; il en aurait remontré au renard et à la martre. Ce qui le tracassait cependant, c'est qu'il avait promis à ce fou de Tornefeld de remettre l'arcane entre les mains du roi. Or il n'avait pas l'intention de le faire. Ce trésor qu'il tenait caché sous son manteau devait rester sien. Et comme sa conscience le tourmentait, il se mit en son âme à rabrouer Tornefeld, à lui chercher querelle comme s'ils n'avaient cessé de cheminer ensemble.

– Te tairas-tu, étourneau! murmura-t-il avec humeur. Ferme ton bec ou gobe ce qui vole mais laisse-moi en repos. Moi? aller rejoindre l'armée suédoise! Frère, si tu cherches un fou, tu en trouveras, ils sont nombreux dans le pays à se disputer la marotte. Je me moque de ton roi! S'il veut le talisman, qu'il vienne le chercher : moi, je n'userai point mes semelles. Ils m'ont coûté cher, mes souliers; je les dois à l'agilité de mes cinq doigts. Le roi ne m'en donnera pas d'autres. Ton maître est si économe! On dit qu'il compte les pelles et les pioches de son armée de peur d'en égarer une seule.

Le voleur s'arrêta pour reprendre haleine car le chemin montait. Puis il se remit en route et recommença à en découdre avec Tornefeld, qui était loin. Son ton cependant s'était radouci :

– Ne m'en veuille pas, mon frère, mais tu es plus obstiné qu'une mule. Tu veux m'envoyer dans l'armée suédoise? Sais-tu ce qui m'attend là-bas? Quatre kreutzers par jour et en prime, le froid, la faim, les coups, les corvées et les tracasseries de toutes sortes. Pardieu, la belle existence! Je suis las du pain de balle de pois et de la soupe à l'eau : je veux que les meilleurs mets défilent à présent! Mon temps est venu, frère, je détiens l'arcane, qui songerait à me le prendre? – J'ai juré serment, dis-tu? Quel serment? Qui m'a entendu? Jean Personne! Eh bien, où sont tes témoins? Tu n'en as pas? Tu as rêvé, frère, je ne vois pas de quel serment tu parles. – Qui suis-je, dis-tu? Un coquin, un gredin sans foi ni loi? Il suffit, mon gaillard! Je vais te frotter les côtes, c'est tout ce que tu vas récolter. Encore un mot et...

Il s'immobilisa et tendit l'oreille : un cheval renâclait dans le silence de la nuit. C'étaient les dragons. Sans un bruit il se laissa glisser à terre puis rampa dans les broussailles en progressant pouce à pouce avec d'infinies précautions.

Tornefeld était aux oubliettes.

Aux premières lueurs de l'aube, le voleur était dans la place. Il venait d'apercevoir dans une clairière une cabane de charbonnier à demi écroulée. Devant la porte, un homme vêtu d'une redingote polonaise de drap noir montait la garde; il tenait son mousquet à deux mains. Un lièvre dépouillé pendait au chambranle. Deux feux brûlaient devant la cabane, qui jetaient leurs lueurs tremblantes sur la terre gelée. Entre les feux dormaient les hommes d'Ibitz le Noir, enroulés dans leurs manteaux, la cabane étant trop petite pour les contenir tous. Deux autres veillaient également qui faisaient rôtir au-dessus des braises de la viande embrochée à leur couteau. Une rosse efflanquée, attachée à un arbre, plongeait la tête dans sa musette.

Le voleur demeura un moment derrière les arbres. L'un des dormeurs bougea, réclama du brandevin et se mit à jurer.

La sentinelle de garde posa son mousquet contre la porte et frotta ses mains engourdies par le froid. Les deux hommes assis près du feu mastiquaient leur viande maintenant à point.

– Dieu vous bénisse, fit le voleur en surgissant de

l'obscurité. Je vois qu'on fait chère par ici, bon appétit, frères, et ne vous brûlez pas!

Les deux hommes le regardèrent avec saisissement. Puis l'un d'eux bondit sur ses pieds, avalant tout rond sa dernière bouchée. Sur le point de s'étrangler, il ouvrait de frayeur des yeux exorbités.

– Qui es-tu? articula-t-il. Nos sentinelles t'ont donc laissé passer? D'où viens-tu? De l'autre camp? Les dragons attaquent?

L'homme qui montait la garde avait brandi son mousquet et lançait un peu tardivement son « qui va là? » vers les arbres.

– Ami! dit le voleur. Je ne suis pas un envoyé des dragons. J'ai appris que vous étiez en détresse et je suis venu vous aider.

L'homme qui était resté assis près du feu n'avait pas quitté des yeux le voleur. Il se leva :

– Toi, je te connais, fit-il. Tu es Piège-à-Poules, le vagabond. Que nous vaut ton irruption et pourquoi ces propos téméraires?

– Je te connais aussi, déclara le voleur. On te nomme le Torcol. Tu as séjourné dans les cachots de Magdebourg.

– Oui, je suis le Torcol, répondit le brigand. Et celui-là, c'est Jonas le Baptiste. Mais parle, dis-nous quel vent t'amène.

– Je suis venu pour vous aider. Votre posture est des plus fâcheuses, reprit le voleur. Quand le baron Maléfice attaquera, je tiens à vous prêter main-forte.

– Tu veux nous prêter main-forte! s'écria le Torcol avec un rire sonore. Tu as signé ta perte, pauvre fou, te voilà fait comme un rat. Le baron Maléfice a cent dragons, or nous ne sommes que vingt, nous n'avons pas de chevaux et disposons en tout et pour tout de cinq mousquets. Avant une heure nous serons tous pris. Que Dieu nous assiste! Quelle aide veux-tu donc apporter?

– Quels poltrons vous faites! railla le voleur. Où est donc passé votre courage? Le baron eût-il autant d'hommes que l'arbre a de feuilles, je ne le crains pas. Il a ses dragons et j'ai mes hussards... Où est votre capitaine?

Les autres brigands s'étaient réveillés. Ils avaient formé un cercle et considéraient avec une suspicion étonnée l'homme armé d'un simple bâton qui se vantait de tenir tête au baron et à ses dragons.

– Tu as des hussards? Montre-les! s'écria Jonas le Baptiste. Tu mens, mon gaillard, tu mens à faire ployer la tour de Babel. Qui te croirait? Que la foudre vous frappe, toi et tes hussards! Où sont-ils? Montre-les donc!

– Crois-moi ou non, je n'en ai cure, répliqua le voleur. Mes hussards sont dans la forêt où ils attendent mon signal. Où est votre capitaine, le noir Ibitz? C'est un rude gaillard à ce qu'on dit, de taille à braver le diable en personne. C'est à lui que je veux parler. Il ne craindra pas l'odeur de la poudre.

– Ibitz le Noir est dans la cabane, répondit le Torcol. Il gît sur la paille, pris par le typhus, et demande un curé à grands cris. Il va mourir.

Une âcre fumée montant d'une torchère où brûlaient de la poix et du bois de genévrier emplissait la pièce. Ibitz le Noir, étendu sur sa litière, s'agitait en tous sens et râlait. Sa pelisse et ses pantoufles rouges le faisaient ressembler au roi de cœur des jeux de cartes, mais la noirceur de sa barbe, la cruelle hardiesse de ses traits lui conféraient une allure redoutable que l'approche de la mort altérait à peine.

Une jeune femme aux cheveux roux, en chemise, était accroupie par terre, à son chevet; elle lui frottait le front avec de la neige fondue et du vinaigre. Le Chirurgien était présent dans la pièce, ainsi qu'un autre homme de la bande, Feuerbaum, lequel était un prêtre défroqué. Les deux compères avaient fouillé en vain la cabane et retourné jusqu'à la paillasse du moribond pour trouver l'or d'Ibitz le Noir, et à présent ils le pressaient de confesser ses fautes dans l'espoir que, le délire aidant, il trahît la cachette aux thalers. Ils mettaient tant de cœur à leur ouvrage qu'ils n'entendirent pas le voleur entrer.

– Capitaine! Capitaine! l'exhortait le Chirurgien d'une voix sourde. Prépare-toi à partir. La mort est là qui ouvre sa gueule. Tu vas comparaître devant Dieu et sa Sainte Justice.

– Tu as pêché gravement, tu as offensé Dieu, renchérissait Feuerbaum qui battait sa coulpe avec ostentation tel un prêtre disant le confiteor. Ouvre ton cœur à Jésus pour qu'il t'accueille en Sa grâce.

Mais c'est en vain qu'ils le pressaient. Ibitz ne

réagissait pas plus qu'un poêle éteint où l'on eût soufflé. La jeune femme prit une cuiller et tenta d'introduire un peu de vin muscat entre les lèvres du mourant.

– Loué soit le Seigneur qui est le roi de Sion! prêcha de plus belle Feuerbaum. Desserre les dents, dis une parole pieuse! Que t'importe à présent ton or, capitaine! Tu ne peux l'emporter là où tu vas, ton fardeau de péchés suffit.

A cet instant, sous l'effet du vin ou des paroles touchant son or, Ibitz le Noir reprit connaissance. Il leva les paupières et tenta de saisir la jeune femme qu'il nomma son cabri, son amour et son âme puis il chercha des yeux le Chirurgien.

– Chirurgien, où en est la nuit?

– Ton temps est révolu. Pour toi l'éternité commence, répondit Feuerbaum. Tourne tes yeux vers Dieu, capitaine. N'attends pas de grâce ici-bas, la mort va te prendre, mais Dieu est miséricordieux, confesse-toi et fais pénitence!

– Je mange de la viande les jours de carême, et ce, depuis mon enfance, confessa piteusement le noir Ibitz.

Mais ce n'était pas là ce que les deux compères désiraient entendre.

– Tu as également volé, pillé, amassé fortune à force d'escroquerie, lui reprocha Feuerbaum en se frappant la poitrine tel un pénitent. Que Son règne arrive, capitaine, pense à ton salut!

– J'ai pillé, volé, saigné les pauvres, poursuivit Ibitz le Noir.

– Confesse donc où tu as caché l'argent que tu leur as pris ! s'écria Feuerbaum. Avoue avant qu'il ne soit trop tard. Le diable est là, qui attend ton âme !

– Non, canaille, je ne te ferai pas ce plaisir, haleta Ibitz, et je préfère le diable à ta...

Comme il s'était dressé sur son séant, il aperçut le voleur dans l'embrasure de la porte et il s'arrêta net. Dans son délire il le prit pour le diable et crut sa dernière heure arrivée.

– Il est là ! Il est là ! cria-t-il. Pourquoi n'avez-vous pas gardé la porte et la fenêtre ? Le Maudit est là qui veut me prendre !

Effrayée à la vue du voleur, la jeune femme avait laissé tomber la cuiller de muscat tandis que le Chirurgien et Feuerbaum criaient comme un seul homme :

– Qui es-tu ? Que veux-tu ?

– C'est à lui, c'est à votre capitaine que je veux...

Le voleur n'acheva pas. Rassemblant ses dernières forces, Ibitz le Noir s'était levé de sa litière et, d'un pas vacillant, s'avançait vers lui, en pelisse et pantoufles.

– Laissez-moi, messire ! supplia-t-il en claquant des dents, les yeux égarés. Il y a moins d'une heure j'ai dit trois Notre Père, je suis pieux, je suis pieux... Les sacripants ne manquent pas ici, pourquoi me prendre moi ?

Et, tremblant d'effroi, il ouvrit brusquement la porte et montra ses hommes qui étaient dehors :

– Vois comme ils sont nombreux ! Prends-les, ils

t'appartiennent, prends-les tous et emmène-les loin d'ici, mais laisse-moi en paix!

Puis il perdit connaissance et tomba. La jeune femme le tira sur la paillasse et essuya son front couvert de sueur. Le voleur, surpris, demeura un moment dans la pièce puis il sortit en refermant la porte derrière lui.

Dehors il faisait jour à présent. Les deux feux devant la cabane seraient bientôt éteints. Un pâle soleil d'hiver apparaissait à la cime des sapins. Le voleur resserra les pans de son manteau. Il tendit l'oreille un instant, attentif à ce qui se passait dans la cabane, mais à l'intérieur tout était silencieux. Il se tourna alors vers les brigands qui faisaient cercle autour de lui :

– Vous avez entendu. Il m'a fait capitaine : je le remplace. Je dois vous emmener loin d'ici.

Des rires et des murmures s'élevèrent parmi les brigands et l'un d'eux s'écria :

– Où veux-tu nous emmener, pauvre fou? Au Pays des Oignons peut-être, où les fous fleurissent à loisir et où le veau tue le boucher? Ignores-tu que les dragons sont là et veulent notre peau? Comment leur échapper, sans chevaux, harassés comme nous sommes?

– Nous allons leur souhaiter la bienvenue, fit le voleur. Montrez-vous résolus et ne craignez rien. Notre accueil saura les dissuader.

– Capitaine, s'étonna le Torcol, d'où te vient tout ce beau courage?

– Cabrioles et fariboles n'y sauraient suffire,

concéda le voleur. Écoutez-moi bien : je porte un arcane sous ma redingote, son pouvoir est infaillible. Si vous me suivez, la fortune neigera sur vous à gros flocons.

– Il vaut mieux que nous nous défendions, c'est aussi mon avis, s'écria le Torcol, déjà à demi gagné. Car si nous nous rendons, le baron Maléfice nous accommodera comme des tanches : certains seront cuits au bleu, d'autres frits. Et ceux qui échapperont à la corde seront marqués au front et envoyés à vie aux galères de Venise.

– Si seulement nous avions suffisamment de mousquets! fit l'un des brigands. Nous ne craindrions ni le baron ni sa troupe.

– Qu'avez-vous besoin de mousquets! lança en riant le voleur. Un bon bâton ne manque jamais sa cible. Écoutez : je tiens les dragons pour de piètres soldats. Ils font de bonnes sentinelles, les fortifications, les ponts n'ont plus de secrets pour eux, mais ils manient plus aisément la pioche que l'épée et vous les verrez au combat plus timorés que vieilles femmes.

– Et tes hussards? objecta le Torcol. Où sont les hussards dont tu faisais état? Montre-les nous!

– Patiente un instant, je vais les chercher, fit le voleur.

Sur quoi il sortit sa besace vide de dessous sa redingote, tourna les talons et disparut parmi sapins et taillis.

Lorsqu'il reparut, la besace pesait sur son épaule. En traversant la forêt, juste avant de venir, il avait découvert non loin de là un nid de frelons dans un arbre creux... et c'est ce nid qui emplissait à présent sa sacoche de malandrin.

– Je vous présente mes petits hussards, dit-il en maintenant le sac dans l'air chaud du foyer. Ils ne vont pas tarder à se réveiller. Nous leur ferons chanter au baron un air qu'il n'a jamais entendu.

On percevait un léger bourdonnement. Le cheval attaché à l'arbre dressa les oreilles et rua pour se libérer.

Les brigands avaient compris le plan de leur nouveau capitaine. Ils furent pris d'une ardeur nouvelle, ils voulaient combattre, défaire le baron et ses dragons. Et ce fut alors à qui crierait le plus fort :

– Nous allons les mettre en charpie!

– Les envoyer au lit!

– C'est moi qui soufflerai la chandelle du baron!

– Ils vont tomber comme des canards sauvages!

La clameur était à son comble quand l'un des brigands, qui montait la garde dans la forêt, accourut en criant que les dragons arrivaient par deux côtés à la fois, à travers prés, et qu'ils étaient plus d'une centaine. De nouveau les voix fusèrent en tous sens :

– Défendons-nous, compagnons! L'ennemi est là!

– Le pulvérin! Amorcez! Trois balles dans les mousquets!

– En avant!

– Ne visez pas à la tête mais à mi-corps!

– Moi je tire dans le tas, j'évite ainsi les coups manqués.

– Silence! ordonna le voleur. Compagnons, je pars

en avant. Je dois toucher un mot au baron. Tirez dès que je prononcerai le mot « renard », ce sera le signal. Et que ceux qui n'ont pas de mousquets fassent pleuvoir les gourdins. Allons-y, battez-vous loyalement et que les poltrons restent en arrière.

– Tous te suivront, mon capitaine, je m'y engage humblement, fit le Torcol.

– A la grâce de Dieu! lança le voleur en jetant le sac sur son épaule.

A la tête de son avant-garde, le baron Maléfice, monté sur son cheval aubère, avançait à travers la haute futaie lorsqu'il aperçut les brigands qu'il escomptait prendre au piège : dans le matin blême et la neige une troupe serrée marchait à sa rencontre sur le sentier menant à la Renardière. Certains portaient des mousquets, certes, mais le baron pensait néanmoins que la bande avait résolu de se rendre à sa discrétion. Ignorant de leurs nouvelles dispositions, il piqua des deux pour les rejoindre lorsqu'une voix retentit au-dessus de lui :

– Restez où vous êtes, messire! Pas un pas de plus où il vous en cuira.

Le capitaine des dragons leva les yeux et aperçut dans les branches d'un pin un homme assis le plus tranquillement du monde, qui balançait les jambes, un havresac à la main.

Le baron Maléfice, pistolet au poing, s'approcha de l'arbre et cria :

– Descends de là, mon lascar, et montre un peu qui tu es ou je te loge une balle dans la peau.

– Pourquoi descendrais-je? Je me trouve bien assis! fit le voleur en riant. Demi-tour, messire, tournez casaque, ou votre rate goûtera au plomb!

– A présent, je te reconnais, s'écria le baron. De tous les coquins que Dieu a créés, tu es bien le pire. Je savais bien que tu étais de la bande mais tu ne perds rien pour attendre : je te paierai mon dû rubis sur l'ongle. Choisis l'arbre où tu veux qu'on te pende.

– Messire veut dîner d'un poisson qui nage encore! railla le voleur. Suivez mon conseil, retirez-vous, il est encore temps. Épargnez-vous les désagréments de la débandade.

Pendant ce temps, le gros du détachement avait rejoint son capitaine et s'était groupé autour de lui. Le voleur, par son discours, avait forcé la troupe ennemie à se concentrer en un point... et atteint par là-même son objectif.

L'un des dragons lança son cheval jusque sous l'arbre et cria :

– Descends un peu que je t'écorche, drôle, le timbalier me donnera bien dix kreutzers de ta peau!

– Si je m'approche pour te pincer, fit un autre, tu vas cavaler d'un trait jusqu'en Hongrie...

– Pourquoi laisser Constantinople aux Turcs quand on a tant de bravoure? fit le voleur sarcastique. Je suis seul contre vous mais je vous préviens : le gruau est brûlant, gare à vos museaux!

– Sacredieu, tu vas ravaler tes paroles! Descends de là, tonna le baron qui perdait patience.

– Messire est donc pressé? fit posément le voleur. Pour moi, j'ai tout le temps de bénir vos chevaux. Allez, et qu'ils se rompent le cou!

– C'en est trop! hurla le baron. Tête de colonne à droite! Ouvrez les rangs! Préparez-vous à attaquer! Et toi, dégringole de ton perchoir et rends-toi ou je tire!

Il leva son pistolet et mit en joue tandis que ses cavaliers se rangeaient selon ses instructions.

– Que le renard défende sa peau! cria le voleur d'une voix si forte que tout le bois résonna.

Le signal était donné. Le coup de feu partit. La balle toucha le voleur à l'épaule à l'instant même où il lançait l'essaim de frelons au beau milieu des dragons.

Ce fut d'abord un bourdonnement sourd. Les cavaliers, déconcertés, tendirent l'oreille. Un cheval se cabra net, un second fit un écart brusque et rua, zébrant l'air de ses sabots arrière. On entendit un juron, une exclamation rageuse, le hurlement des cavaliers touchés par les fers. Un instant la voix du baron Maléfice domina le tumulte :

– Rompez! Formez un seul rang! criait-il, conscient du danger.

Mais déjà le chaos régnait alentour.

Assaillis par les frelons, les chevaux qui avaient pris position au centre cherchaient à fuir : ils se cabraient, tombaient à la renverse, piétinaient les cavaliers désarçonnés. Un vacarme indescriptible emplissait la forêt; aux hennissements se mêlaient les hurlements, les jurons, les disputes, les ordres contradictoires que personne n'écoutait. Des coups de mousquets et de pistolets ponctuaient ce tumulte qu'amplifiait l'écho. La bataille rangée avait dégénéré en une mêlée de chevaux et d'hommes vociférant parmi les sabots fous; les cavaliers s'agrippaient aux crinières ou, jetés à bas, pendaient lamentablement aux étriers; ce n'était plus qu'une cohue de mousquets, de sabres, de mains battant l'air et de faces convulsées. Et c'est au fort de cette débandade que les brigands ouvrirent le feu.

C'en était fait de la belle ordonnance des assaillants. Les chevaux s'égaillaient en tout sens, avec ou sans cavalier, piquant un galop endiablé à travers la futaie et le désordre de ses taillis. Une poignée de dragons s'étaient remis d'aplomb et tentaient de reformer un rang mais déjà les brigands fondaient sur eux à coups de gourdins et de crosses.

Le baron Maléfice était parvenu à maîtriser son cheval; il fit une volte brusque afin de porter secours à ses hommes. Mais il était trop tard, déjà les brigands les avaient dispersés. Voyant la partie perdue, il poussa un juron, éperonna sa monture et s'enfuit au galop tandis que le voleur, toujours perché, lui lançait son adieu sarcastique :

– Quelle mouche vous pique, messire? Prenez garde d'éreinter votre cheval!

La voie était libre. Il ne restait plus qu'à capturer les chevaux vacants et à sauter en selle. Le voleur se coula au bas de son arbre et s'adossa un moment au tronc. Sa blessure commençait à le faire souffrir, le sang déjà transperçait sa chemise et sa redingote.

On entendit au loin la trompette des dragons sonner le rassemblement. Parmi les flaques de sang, les soldats blessés, les chevaux agonisants et les selles réduites en pièces, les vrais vainqueurs du jour parsemaient la neige piétinée : le froid avait eu raison des frelons.

Une fois à cheval, les brigands aidèrent leur capitaine blessé à monter en selle et, poussant des cris de joie, tous reprirent le chemin de la Renardière en faisant voler leurs chapeaux.

Au seuil de la cabane, le Chirurgien assistait, effaré, au retour joyeux de ses compagnons.

– Miracle! cria-t-il. Vous voilà saufs! Je n'osais plus espérer... Je pensais que nous fêterions nos retrouvailles au crochet du pelletier où finissent le loup et le renard. Mettez pied à terre et buvons un verre. Puis vous irez chercher les pelles : Ibitz le Noir est mort, nous devons l'enterrer.

Le voleur se redressa sur sa selle :

– Nous nous contenterons d'un Pater et d'un Ave, Dieu ait son âme, mais le temps presse, nous devons déguerpir! Suivez-moi ou restez, à votre guise...

Et comme un murmure de protestations s'élevait, il tança la troupe :

– Je suis votre capitaine et vous devez m'obéir. Le baron Maléfice rassemble ses hommes, un nouvel assaut se prépare. Nous devons décamper. La chance peut tourner. Vous l'avez vu...

Vers midi, ils firent halte dans une auberge non loin de la frontière polonaise. Là, ils se savaient en lieu sûr. Le voleur grelottait de fièvre dans le grenier à foin; le Chirurgien avait pansé sa blessure et le Torcol restait auprès de lui. En bas, dans la salle de l'auberge, ses nouveaux compagnons buvaient du brandevin polonais et menaient grand bruit.

– Capitaine, fit le Torcol accroupi dans la paille au chevet du blessé, es-tu si mal en point? Tu râles comme si tu allais rendre l'âme à tout instant.

– J'ai trop donné de mon cinabre, fit le voleur avec un pâle sourire. Oui, je suis mal en point et je mourrai si mon état empire. Mais je ne veux pas mourir, je veux courir ma chance, dussé-je la décrocher au firmament.

Il essaya de se redresser mais retomba aussitôt sur sa litière.

– On festoie allégrement en bas, les grenouilles au printemps font moins de raffut, dit-il, mais le miserere viendra à son heure. Ils ne voient pas la corde et la roue du bourreau... Nous devons déguerpir. Dis-moi le nom de chacun et ce qu'il sait faire, je te dirai qui vient avec nous et qui reste.

– Moi, tu me connais, commença le brigand, je suis le Torcol.

– Oui, je te connais, répondit le voleur. Tu fus mon compagnon de geôle à Magdebourg, nous avons partagé le pain de balle de pois. Tu viens avec moi.

– Et je te resterai fidèle, assura le Torcol, jusqu'au

jour où je rendrai l'âme et où l'on enfouira mon corps en terre nue.

– Poursuis! poursuis! le pressa le voleur. Au suivant. Comment s'appelle-t-il? Que sait-il faire?

– Michel de Travers est batailleur en diable. Il réglerait leur compte à trois adversaires, aussi bien au tir qu'à l'épée ou au poignard.

– Le tir, l'épée, le poignard : autant de sources d'ennui, murmura le voleur. Je ne veux pas de lui. Qu'il dispose.

– Le Pipeur, poursuivit le Torcol, qui bat le chien et le lièvre à la course...

– Qu'il coure où bon lui semble, je ne le retiens pas, déclara le voleur. Couvre-moi de paille, je meurs de froid.

– Matthieu le Fou, continua le Torcol, un sabreur qui n'a pas son pareil.

Les pensées du voleur vagabondaient. L'invocation! S'il connaissait l'invocation guérissant les blessures! La souffrance à nouveau avait raison de lui. Sa vie s'écoulait avec son sang.

Il existait une invocation dont le pouvoir magique était si grand que le sang s'arrêtait de couler, mais il avait beau torturer sa mémoire, il ne retrouvait pas la formule.

– Matthieu le Fou ignore la peur et couvre les retraites, insistait le Torcol. M'entends-tu, capitaine?

– Oui, je t'entends, dit le voleur en claquant des dents. S'il ignore la peur, il ignore aussi la prudence. Qu'il aille son chemin, je n'en veux pas.

– Le père Hibou, continua le Torcol, qui n'a pas besoin de dormir et peut veiller sept nuits...

– Peu m'importe, grommela le voleur. N'as-tu personne qui sache braser et limer des clefs, prendre l'empreinte des serrures dans la cire?...

– Feuerbaum vient à bout des serrures les plus rétives, répondit le Torcol.

– Il nous suivra donc, décida le voleur qui gémit doucement.

Et se parlant à lui-même : « La douleur me brûle, me taraude! Que la gangrène me soit épargnée! »

– Veiland, poursuivit le Torcol. Il a l'ouïe d'un renard. Il entend un cheval hennir à trois lieues, le chien et le coq à deux lieues et la voix humaine à une lieue.

– Il fera un bon guetteur, je l'emmène, déclara le voleur.

– J'allais oublier Jehan le Fondeur, acheva le Torcol. Il est si fort qu'il enfonce une porte d'un coup d'épaule.

– Il ne convient pas, fit le voleur, il fera du bruit et le bruit m'incommode. N'as-tu personne d'autre?

– Le Brabançon qui contrefait sur l'heure le paysan, le roulier, le marchand ambulant ou l'étudiant.

– Celui-là fait l'affaire, estima le voleur. Un bon émissaire est toujours précieux.

– Il sait également le français, ajouta le Torcol.

– Voilà qui met du lard dans ma soupe, s'écria le blessé. Il me l'apprendra, je pourrai ainsi aller dans le monde et me conduire en gentilhomme.

– En gentilhomme? s'inquiéta le Torcol. Que dis-tu là? Tu délires!

– Non, j'ai toute ma tête. Nous voilà cinq, c'est suffisant. Descends dire aux trois...

– Et les autres? s'écria le Torcol. Klaproth, Afrom, Konrad le petit roux, Adam le Pendu, Jonas le Baptiste!... Nous avons juré de faire front et de ne jamais nous séparer.

– Il ne t'appartient pas d'interrompre ton capitaine, s'emporta le voleur. Tais-toi et obéis. Vos serments ne regardent que vous. Je ne veux pas que nous marchions en bande comme les perdrix en hiver. La main peut saisir avec cinq doigts. A quoi bon six, sept ou dix? A l'heure du partage nous serons bien assez...

Il se tut. Sa respiration était difficile car parler le fatiguait. Mais au mot de partage était venue au Torcol une idée qu'il ne voulait pas garder pour lui.

– Je connais un riche paysan non loin d'ici, dit-il. Il a plus d'un jambon dans son cellier, ainsi que des œufs, du lard, une cave bien pourvue en vin et des coffres emplis d'or...

– Non, fit le voleur que la fièvre venait de jeter sur l'autre flanc. Je ne forcerai pas les coffres des paysans, je ne mettrai pas les villages à feu et à sac. Laissez l'homme des champs à son ouvrage.

– Préfères-tu les grands chemins et l'attaque des voitures de poste? demanda le Torcol.

– Non, j'ai d'autres desseins, fit le voleur qui gémit et porta la main à sa blessure. C'est dans les cures que je veux prendre l'or.

– L'or, dans les cures?

– Oui, dans les églises, les chapelles, déclara le

voleur. L'or, l'argent qu'elles contiennent m'appellent à grands cris.

– Plutôt la foudre, s'écria le Torcol avec effroi. C'est un péché mortel, un sacrilège.

– Ouvre grand tes oreilles, je vais te dire une chose, chuchota le voleur. Tout appartient à Dieu ici-bas. L'or et l'argent des curés sont et restent à Dieu même s'ils gonflent nos besaces. Faire circuler un trésor qui dormait est œuvre pie. C'est pécher, dis-tu? Est-ce pécher que de recourir à l'aune et aux ciseaux pour tailler le drap de la veste? Crois-tu qu'une maison s'érige sans maçon et sans charpentier? Non, pécher est une obligation qui s'impose à tout moment, même aux heures les plus fastes...

Le Torcol hocha la tête avec vivacité pour montrer qu'il avait compris et se rangeait à l'avis de son capitaine.

– Descends, reprit le voleur, et dis aux trois autres de se tenir prêts, nous levons le camp à minuit. Et procure-moi une charrette, je devrai voyager couché sur la paille.

Le Torcol avait à peine disparu dans l'escalier que Lies la Rousse surgit de derrière un tas de paille; elle avait tout entendu.

– Capitaine! le supplia-t-elle, emmène-moi et je te chérirai plus que moi-même.

Le voleur ouvrit les yeux.

– Qui es-tu? demanda-t-il. Je n'ai que faire de toi. Tu as les cheveux roux et j'évite les chats et les chiens qui ont cette couleur.

– Je suis Lies la Rousse, le cabri d'Ibitz le Noir.

Il est mort à présent et je suis seule au monde. Emmène-moi.

– Un cabri ne se mêle pas aux loups, murmura le voleur.

– Je saurai me mêler à vous, fit la jeune fille. Emmène-moi, je sais tout faire : filer le lin, cuisiner, laver. Je chante en m'accompagnant au luth et je m'entends à fabriquer des gants fourrés de peau de lapin. Enfin, pour tes blessures, je sais un onguent de vulnéraire et de véronique, de pervenche et de pourpier, d'angélique et d'embélie, de sang-dragon et de sainte-neige... Il existe aussi une fleur nommée mors-du-diable dont une demi-once additionnée d'une once et demie de lamier à fleurs rouges...

– Que la gangrène me soit épargnée, gémit le voleur.

– J'expédie les démons dans le désert, dans l'eau ou un arbre creux, je connais l'invocation, assura Lies la Rousse.

Le voleur la regarda, et d'une voix altérée :

– L'invocation ! Si tu la connais, dis-la, je t'emmènerai avec moi. Je t'en supplie !

La jeune fille réfléchit un instant puis se mit à chanter :

Quand Jésus peina sous la Croix
Tout frémit ici-bas :
Les forêts, l'herbe des...

– Non ! l'interrompit le voleur. Ce n'est pas celle-là. Dis l'autre invocation ! La bonne !

– L'autre invocation... répéta Lies la Rousse – et elle posa la main sur le linge ensanglanté qui couvrait la blessure.

Enfin, d'une voix douce, elle se remit à chanter :

Trois fleurs et l'or...

– Oui, celle-ci ! implora le voleur qui haletait. Continue ! Chante-la jusqu'au bout !

Et le cabri chanta :

Trois fleurs et l'ordre divin,
L'une est blanche, l'autre carmin,
La troisième a nom Jésus Roi.
Sang, arrête-toi !

– Sang, arrête-toi ! murmura le voleur.

Il ferma les yeux et ce fut comme si la douleur ôtait ses griffes cruelles de sa plaie et prenait lourdement son envol. La fatigue l'envahit; il sombra dans un sommeil sans rêve. Puis sa respiration s'apaisa et le cabri se coula sur la paille, à son côté.

Pendant plus d'une année, les voleurs d'églises sévirent de l'Elbe à la Vistule... Ils coururent la Poméranie, la Pologne, le Brandebourg et la Neumark, la Silésie et les monts de Lusace. Ces contrées avaient toujours regorgé de bandits mais aucun n'avait encore osé s'en prendre aux biens sacrés de l'Église, même en ces temps de calamités. A présent la profanation était monnaie courante et l'émoi était grand. On crut d'abord, à l'ampleur des méfaits, que les pilleurs de lieux saints étaient plus d'une centaine. Il s'avéra qu'ils n'étaient que six et ne formaient qu'une petite bande. Aussitôt le bruit courut que les brigands de Dieu avaient le pouvoir de se rendre invisibles au cœur du danger, aussi le baron Maléfice les poursuivait-il en pure perte. D'aucuns prétendaient que Satan, l'ennemi héréditaire de Dieu, s'était fait leur capitaine et dirigeait en personne les opérations.

Le premier qui eut affaire à ce capitaine fut le curé de Kreibe, petit village relevant d'un certain sieur von Nostitz. Un soir de mai, après le salut, le curé s'était rendu au village voisin pour convenir avec l'épicier du prix auquel il pourrait lui vendre son miel, car le saint homme pratiquait l'apiculture. Il s'apprêtait à quitter la boutique quand une averse l'avait contraint à se replier dans l'auberge du lieu; il était près de minuit lorsqu'il avait regagné Kreibe.

Il arrivait à hauteur de l'église lorsqu'il aperçut de la lumière à l'intérieur : les ténèbres s'éclairèrent l'espace d'un instant et le saint Georges du vitrail apparut avec son manteau bleu et le dragon auquel l'artiste local avait donné l'apparence d'une vache prête à vêler, agrémentée d'ailes de chauve-souris.

La lueur s'éteignit aussitôt mais le curé, à présent, savait qu'il y avait quelqu'un dans l'église. Les objets de valeur ne manquaient pas – un crucifix d'argent massif, haut d'une aune, une statue en ivoire de la Vierge Marie avec sa couronne d'or, offrandes que le sieur von Nostitz avaient faites à l'église quatre ans auparavant lorsqu'il avait contracté la petite vérole – mais le curé ne songea pas un instant aux pilleurs d'églises; il ne s'inquiétait que des deux seaux de miel qu'il serrait, avec les cassolettes, le soufflet et autres ustensiles, dans la sacristie laquelle était à ses yeux le seul endroit sûr du village.

La porte de l'église était verrouillée. Il alla chercher la clé, tout joyeux de prendre sur le fait les voleurs de miel qu'il désirait pincer depuis longtemps. L'anathème aux lèvres et la bougie à la main il entra dans le sanctuaire.

Un courant d'air souffla sa chandelle. Il fit quelques pas dans l'obscurité quand une lanterne sourde éclaira soudain son visage; le faisceau lumineux descendit le long de sa soutane, et c'est alors qu'il vit l'homme – lequel pointait sur lui son pistolet.

La foudre mourut sur ses lèvres et sa peur fut telle qu'il ne put que murmurer : « Béni soit Jésus-Christ. »

– Pour l'éternité, amen, révérend père, fit des plus poliment le personnage qui le tenait en joue. Navré de vous avoir effrayé, messire! Je me suis permis d'entrer sans avoir l'honneur d'y être convié.

Le curé vit que l'homme portait un masque : il comprit qu'il avait affaire à l'un des brigands sacrilèges. Son cœur battait à tout rompre. Tandis qu'il fixait éperdument le masque, la lourde porte de la sacristie s'ouvrit et trois hommes apparurent, le visage dissimulé par un linge. Le premier portait le crucifix d'argent, l'autre la couronne ravie à la Vierge et le troisième la cassolette du curé ainsi qu'une lanterne sourde.

– Jésus! Est-ce possible? Vous avez eu raison de cette porte bardée de fer! se lamenta le curé qui tremblait de tous ses membres.

La porte en effet ne manquait ni de verrous ni de barres, et c'était lui-même qui avait la clé – qu'il venait tout juste de prendre dans l'armoire.

L'homme au masque abaissa son arme et esquissa une révérence comme pour remercier le curé du grand honneur qu'il lui témoignait.

– Sachez, mon révérend, qu'une porte d'acier ne nous arrête pas plus qu'une toile d'araignée, dit-il. C'est à peine si nous y prêtons attention.

Puis il ajouta à l'adresse de ses compagnons :

– Faites vite. Le temps presse et nous ne saurions importuner davantage le révérend père.

Le curé les vit engouffrer le crucifix et la couronne d'or dans une grande besace. Son devoir eût été de donner l'alarme, de crier au meurtre, de monter quatre à quatre l'escalier du clocher et de sonner le tocsin à dix lieues à la ronde. N'était-il pas le dépositaire de ces biens sacrés? Mais il tremblait pour sa vie. Aussi prit-il le parti de ne pas bouger et de lever les bras au ciel.

– Ce sont les ex-voto de notre maître, fit-il d'une voix geignarde. Vous voulez donc les profaner? Il les a donnés à Dieu, non aux hommes.

– Non pas, rétorqua fort posément le capitaine. Il n'a jamais donné à Dieu que l'aumône qu'il a consentie aux pauvres. Tout le reste, il l'a donné au monde et je viens prélever ma part.

– Ce que vous faites là est un péché grave, ce vol est un sacrilège! s'écria le curé. Repose les objets du culte ou crains la damnation éternelle!

– Que le révérend père montre un peu d'indulgence envers les pécheurs, repartit le capitaine. Ils ont leur rôle à jouer. Car où iriez-vous sans eux? Que seriez-vous sans nos péchés?

Le diable parlait par cette bouche, le curé en avait la conviction à présent. Seul le Menteur, le Négateur insigne pouvait en effet troubler l'entendement par des propos aussi captieux et impies. Il recula d'un pas, se signa à la hâte et marmonna d'une voix étranglée :

– *Satana! Satana! Recede a me! Recede!*

– Plaît-il messire? demanda l'homme au masque. Je n'ai pas compris. Je ne suis pas instruit et n'entends pas le latin.

– Tu es possédé du démon, voilà ce que j'ai dit, s'écria le curé. Il parle par ta bouche.

– Révérend, je vous en prie, pas si fort, on pourrait nous entendre, fit le brigand moqueur. Si je suis possédé du démon, c'est Dieu qui l'a voulu. Le démon ne saurait disposer d'une simple truie sans Son agrément, relisez l'évangile de Matthieu.

Sur quoi il tourna les talons et alla rejoindre ses compagnons. Le curé, qui ne le quittait pas des yeux, réfléchissait à la description qu'il donnerait de lui quand viendrait l'heure d'aider à son identification et à sa capture.

« De belle prestance, plus grand que la moyenne, fit-il à part soi. Le visage hâve, pour autant qu'on puisse juger. Si seulement il ne portait pas ce masque! Une perruque bouclée, un chapeau à galon blanc, un manteau noir bordé de blanc. Voilà tout. Piètre signalement! »

Dans l'intervalle, le capitaine avait pris la cassolette des mains de son compagnon. L'ayant examinée avec soin, il revint vers le curé.

– Je vois, mon révérend, que vous pratiquez l'apiculture, remarqua-t-il. Combien de ruches? si je puis me permettre cette question.

– Trois, répondit le curé qui poursuivait mentalement : « Mains fines comme en ont généralement les personnes bien nées. Longs doigts de voleur. Le menton rasé. »

Il ajouta à voix haute :

– Elles sont dans le pré, derrière ma maison.

– Trois ruches, répéta le capitaine. Au printemps vous devez récolter au moins dix-huit mesures.

– Cette année, je n'en ai eu que dix et demie, fit le curé avec un soupir.

– Pour trois ruches, c'est bien peu, constata le capitaine. Pourtant l'année fut idéale : un été avec du vent tiède et une bonne rosée du soir, un automne long et sec, un hiver enneigé. A quoi faut-il attribuer la chose?

– C'est une catastrophe! se lamenta le curé qui ne savait s'il devait pleurer ses ruches ou le trésor perdu. Mes abeilles ont la dysenterie.

– Et il n'y a rien à faire? On ne connaît pas le remède?

– Non, fit le curé, soucieux. Il n'y a rien à faire. Il faut attendre que le mal passe.

– Écoutez, révérend! déclara le pilleur d'églises. Prenez de l'eau sucrée, pilez un peu de cumin des prés, puis mélangez le tout à quelques gouttes d'huile de lavande et donnez ce breuvage aux abeilles. C'est un remède éprouvé contre la dysenterie.

– J'essaierai, fit le curé songeur. Mais où trouverais-je du cumin des prés? Je n'en ai jamais vu par ici. Et que dois-je faire pour clarifier mon miel? Je l'ai filtré deux fois mais il reste trouble.

A présent ils étaient seuls dans l'église, les autres ayant disparu avec le sac. Le capitaine hocha la tête :

– C'est l'humidité de l'air, avança-t-il. La sacristie n'est pas l'endroit qui convient. Les murs suintent. Mettez le miel au soleil, révérend!

– Vous ne connaissez pas les paysans! s'écria le curé. Une vraie bande de voleurs qui pillent mon miel à ma barbe. Il n'est en lieu sûr qu'ici, dans cette sacristie, car j'ai pourvu la porte en fer de verrous et de barres.

– Je sais, fit le pilleur d'églises. Les paysans volent effrontément et je le déplore. Chacun devrait s'acquitter de sa tâche et laisser en paix son voisin. Mais il est l'heure pour moi de prendre congé, messire.

Les deux hommes, tout en conversant, allaient et venaient entre les bancs. Le curé s'arrêta.

– Je suis navré, dit-il, de ne pouvoir jouir plus longtemps de votre conversation, messire.

– Votre amabilité me touche, répondit le voleur avec une égale courtoisie. Mais je suis tenu de partir, messire, et vous prie de m'excuser pour cette fois.

Il tira sa révérence, souffla la lanterne sourde et disparut dans l'obscurité.

Le curé s'attarda un instant dans l'église, il se demandait où entreposer son miel, car indéniablement les murs de la sacristie suintaient. Plus d'une minute s'écoula, il pouvait à présent monter au clocher et sonner le tocsin sans danger. Il jugea cependant plus avisé de suivre secrètement les brigands pour voir quelle direction ils allaient prendre et s'ils étaient à cheval. Ensuite seulement, il alerterait les paysans. Mais lorsqu'il sortit de l'église les bandits avaient disparu. Bien que la lune fût levée, il ne put déceler la moindre trace de leur passage. Il semblait – ainsi qu'il le relata une heure plus tard aux paysans effrayés – qu'ils eussent emprunté les ailes de la chouette et des choucas nichant dans le clocher, et assuré par ce biais leur fuite.

Ceux qui eurent la mauvaise fortune de croiser les brigands à un moment inopportun ne connurent pas toujours la chance du curé de Kreibe, qui en fut quitte pour la peur. A Tschirnau, un village du comté de Glatz, en Bohême, sur la rive droite de la Neisse, le bedeau, la veille de la Saint-Kilian, surprit les bandits dans l'église. C'était la nuit et ils s'apprêtaient à fuir avec leur butin. L'endroit servait de lieu de pèlerinage aux paysans de tout le comté : ils avaient fait main basse sur quatre chandeliers d'argent, de six livres chacun, sur un encensoir, une aiguière baptismale et deux patènes, le tout d'argent, une lourde chaîne d'or, un pan de brocart tissé de fils d'or et pour finir un livre où étaient recensées les bonnes œuvres du pape Martin. Mais si les impies avaient emporté cet ouvrage, c'était moins pour son contenu que pour l'ivoire qui le recouvrait.

– Tout cela est bon pour le fondoir, entendit le bedeau au moment où il pénétrait dans l'église.

Il ne vit tout d'abord que le brigand qui emportait le livre, puis il aperçut les deux autres. C'était un homme courageux; il savait de surcroît que les quelques paysans qui s'attardaient à la taverne lui prêteraient main-forte s'ils entendaient du bruit. Comme il ne voyait rien qui pût lui servir d'arme, il arracha un gourdin des mains d'un Saint-Christophe en bois et en frappa à la tête l'un des intrus, lequel se signalait par sa tignasse rousse.

Un cri de femme retentit. C'est alors que le bedeau fut saisi par-derrière : il porta une main à sa gorge, voulut crier et dut lâcher prise. Et tandis que son arme roulait à terre à grand fracas, un homme, le visage également dissimulé par un linge, apparut dans l'embrasure de la porte. Il fit un signe :

– Il est seul, annonça-t-il, personne ne le suit, c'est pourquoi je l'ai laissé passer.

Ce furent les derniers mots que perçut le bedeau. Car il perdit connaissance. Lorsqu'il revint à lui, il gisait sur les marches, devant le portail de l'église, pieds et mains liés. Sa tête, bandée, lui cognait douloureusement; des emplâtres de poix lui fermaient la bouche et les yeux. Les paysans le trouvèrent là en allant aux champs : sur les marches, à côté de lui, le bâton de Saint-Christophe était brisé en deux.

La rencontre, dans une auberge, entre un jeune gentilhomme de Bohême et les brigands de Dieu eut une issue plus tragique. Le jeune homme y perdit la vie.

L'auberge, sise entre Brieg et Oppeln, sur la grand-route qui va se perdre ensuite dans l'épaisseur des forêts, n'était guère fréquentée que par des tziganes et autres miséreux; des compagnons s'y arrêtaient parfois et, aux meilleurs jours, quelque marchand ambulant portant sa camelote sur son dos. Le jeune comte qui se rendait à l'université de Rostock avec son précepteur et un laquais s'était vu contraint d'y faire halte pour la nuit, l'essieu de sa voiture s'étant brisé. C'était un soir d'automne; il pleuvait à verse. Tandis que le cocher tentait de remettre le carrosse en état, le jeune comte et son précepteur soupaient dans la salle du bas, servis par le laquais. Ils avaient commandé un coquelet rôti et une galette, car c'était là tout ce qu'on servait.

Le souper achevé, le laquais sortit afin d'assister le cocher; le précepteur se retira. Il était fatigué et voulait se coucher. L'aubergiste avait préparé des lits dans la mansarde pour ces deux hôtes de marque. Le laquais dormirait sur un banc, dans la salle, et le cocher à l'écurie.

Le jeune comte resta attablé devant une cruche de vin; sur le banc, près du poêle, le vieux père de l'aubergiste, qui ronflait depuis un bon moment, lui tenait compagnie. La pluie fouettait les vitres, le feu crépitait dans le poêle. Un bruit de vaisselle montait de la cuisine où la femme du maître de céans cuisait une saucisse de Nuremberg à l'attention du cocher et du laquais.

Le jeune comte, jugeant qu'il était trop tôt pour s'aller coucher, se demandait comment dénicher un partenaire acceptable avec lequel disputer une partie d'hombre. Il songeait, les coudes sur les genoux et la tête entre les mains, lorsqu'un bruit retentit dehors : il lui sembla que l'un de ses gens, le cocher ou le laquais, appelait à l'aide. Il releva la tête et tendit l'oreille. L'aubergiste surgit alors de la cuisine, pâle d'effroi; il allait parler lorsque la porte s'ouvrit. Une voix impérieuse lança :

– *Messieurs* [1]! Que chacun reste à sa place!

Dans l'embrasure de la porte se tenait le brigand masqué; derrière son épaule on apercevait deux de ses compagnons et les cheveux roux d'un troisième.

Le jeune gentilhomme resta calmement assis devant sa cruche de vin. Il se disait que si ces hommes étaient bien les pilleurs d'églises qui faisaient courir tant de bruit, il avait quelque chance de sauver non

1. En français dans le texte.

seulement sa vie mais les trente ducats de Bohême que contenait sa bourse. Il résolut donc de se tirer glorieusement de ce mauvais pas, se flattant déjà de conter l'incident sitôt rendu à l'université de Rostock. Et pour se donner du courage, il vida son gobelet en quatre gorgées.

Le capitaine cependant avait pénétré dans la salle. Il s'inclina devant le voyageur de marque, soulevant légèrement son chapeau en signe de déférence. Puis il réclama du vin et but dans un gobelet d'argent que l'un de ses compagnons avait tiré du sac de voyage.

L'aubergiste qui assistait à la scène tremblait tellement que la cruche de vin faillit lui échapper des mains.

– Que viens-tu faire ici? articula-t-il. Tu sais bien que je n'ai le droit ni de vous recevoir ni de vous héberger.

– Lanturlu, disparais de ma vue! ordonna le capitaine. Cours à la cuisine et vois s'il se trouve pour mes gens du lard grillé, du pain et de la petite bière.

Il avait jeté son manteau sur le dossier d'une chaise et se tenait là, dans sa redingote violette au velours défraîchi, chaussé de hautes bottes à revers. Ses compagnons s'étaient attablés non loin du poêle. Seul le brigand aux cheveux roux était resté aux côtés de son capitaine – lequel brigand n'était autre que Lies la Rousse en habits d'homme.

Soulevant à nouveau son chapeau, le capitaine se tourna vers le gentilhomme.

– Croyez bien, messire, que des raisons impérieuses me dictent cette intrusion, fit-il avec courtoisie. Il souffle dehors un vent glacial qui vient de Pologne et je ne puis laisser mes gens sous la pluie.

– Une question, ne vous déplaise, fit le jeune comte. Qu'est-il advenu de mes gens? Je les ai entendus crier. Vous voudrez bien, également, retirer votre masque, messire, que je voie à qui je m'adresse.

Le capitaine regarda le gentilhomme sans mot dire.

– Dieu vous en préserve, messire, dit-il enfin. Quant à votre suite, rassurez-vous, elle s'est retirée à l'étable. Mais mes gens ne demandent qu'à vous servir, noble sire.

Et il désigna ses deux compagnons attablés à l'écart.

Le jeune homme constatait non sans étonnement que ce capitaine de brigands s'évertuait de son mieux à se conduire en gentilhomme. Il jugea avisé, pour sauver sa bourse, de témoigner les mêmes égards à cet homme dangereux. Il se leva donc et, le chapeau à la main, pria le capitaine de venir à sa table pour partager son vin.

Le voleur parut réfléchir un instant, puis il répondit :

– Je ne puis vous rendre la politesse, messire, qu'en me déclarant indigne de cet honneur. Cependant, si tel est votre désir, je boirai volontiers un verre à votre santé!

Mais lorsqu'ils furent tous trois à table, Lies la

Rousse leva son verre et le vida à la santé du diable, comme le lui avait enseigné le noir Ibitz.

– Tu es en honnête compagnie, la semonça le capitaine. Cesse de blasphémer.

– Je vois que la demoiselle porte des vêtements d'homme et une épée, fit le gentilhomme. Est-ce la coutume en ce pays ?

– Non, répondit le capitaine. Elle porte des vêtements d'homme pour monter à cheval plus commodément. Mais elle sait manier son épée et lorsqu'elle dégaine, c'est *pour se battre bravement et donner de bons coups* [1].

– Je fus à Paris, moi aussi, déclara le gentilhomme qui croisa les jambes et fit tinter ses éperons. J'ai vu le Louvre et la nouvelle résidence du roi.

– Pas moi, regretta le capitaine. Je tiens mon français de mon compagnon que vous voyez là-bas, ce gueux le parle à ravir.

Et par-dessus son épaule, il montra le Brabançon qui s'empiffrait de lard grillé en compagnie du Torcol.

– Passerez-vous la nuit dans cette maison ? s'enquit le gentilhomme, soucieux de ne pas laisser languir la conversation.

– Non, répondit le voleur. Je dois repartir sous peu. Des affaires m'attendent non loin d'ici.

– Je bois donc un verre à l'heureuse issue de votre entreprise, fit le gentilhomme.

– Gardez-vous-en bien, messire, déclara le capi-

1. En français dans le texte.

taine. Gardez-vous de souhaiter bonne chance au pêcheur qui prend la mer, il pourrait échouer.

– Échouer? intervint Lies la Rousse, mais tu portes sur toi l'arcane qui triomphe de tous les obstacles.

– Tais-toi, fit le pilleur d'églises avec humeur. Tu parles trop. Je ne cesse de te le répéter : Langue bien pendue te fera prendre.

Et se tournant vers le gentilhomme, il ajouta :

– Mon bien est disséminé aux quatre vents, je chevauche en tous lieux pour le rassembler.

– Et de quelle nature sont vos affaires, messire, si je puis demander? fit le gentilhomme.

– Vous le devinerez aisément, messire, si je vous dis qu'on m'appelle dans ce pays le brigand de Dieu, répondit le voleur d'une voix tranquille.

Le gentilhomme sursauta, oubliant sur-le-champ toute courtoisie. Il savait, certes, depuis le début à qui il avait affaire mais il lui répugnait de se l'entendre dire si crûment.

– Et tu oses me le dire en face, s'écria-t-il en frappant du poing sur la table, tu n'as point honte?

– Pourquoi devrais-je avoir honte? répondit sans s'émouvoir l'écumeur d'églises. S'il a plu au Dieu suprême de me faire ce que je suis... comment moi, grain de poussière, pourrais-je m'élever contre Son vouloir?

– Sans doute Lui plaira-t-il également, tôt ou tard, de te faire pendre ou écarteler, répliqua le gentilhomme que le vin commençait à échauffer. Et ce sera la fin.

– Rien n'est moins sûr, objecta le brigand. David

aussi était un grand pécheur, il a néanmoins connu de grands honneurs avant de mourir.

– Par mon âme, voilà qui sent le soufre! s'écria le gentilhomme indigné. Cesse de m'embrouiller avec ton David. Une chose est sûre et j'y ai songé plus d'une fois : pourquoi Dieu n'a-t-il pas fait de tous les hommes des chrétiens? Pourquoi y a-t-il tant de Turcs et de juifs? Là, quelque chose ne va pas...

– Dieu ne tient peut-être pas à ce que trop d'hommes gagnent le royaume des cieux, avança le brigand. M'est avis qu'il préfère voir les hommes au fin fond de l'enfer plutôt qu'à ses côtés. Quel bien pourrait-il attendre d'eux? A peine sont-ils une poignée qu'ils s'étripent ici-bas, pourquoi en irait-il autrement là-haut?

– Foin des sermons! fit le gentilhomme. Songe que ta tête est mise à prix, celui qui te prendra vivant gagnera dix mille thalers et un fief.

– Il est vrai, concéda le capitaine. Mais sachez, messire, qu'un lièvre n'est jamais si prompt que lorsqu'on le chasse. La glu qui me prendra n'a pas encore bouilli.

– Qu'en sais-tu? tonna le gentilhomme sérieusement ivre à présent. Je saurai te reconnaître si je te rencontre à nouveau. C'en est fait de toi! La hache du bourreau est suspendue au-dessus de ta tête comme l'épée de ce vieux roi dont j'oublie le nom. Mon précepteur saurait me le dire, lui, mais il est monté se coucher. Pourquoi, diable, a-t-il refusé de faire une partie d'hombre? Nous serions trois maintenant.

– Vous pensez, messire, que vous me reconnaîtriez? s'inquiéta le brigand, songeur.

– J'en suis sûr, *par le sang de Dieu* [1]! déclara le gentilhomme. Je parie deux ducats de Bohême.

– Deux ducats? C'est bien peu, répondit le capitaine. J'accepte le pari.

– Je l'ai déjà gagné, j'ai une excellente mémoire des physionomies, s'écria le gentilhomme et, tout en riant, il se pencha par-dessus la table et porta vivement la main au visage du capitaine : l'instant d'après il tenait entre ses doigts le masque d'étoffe noire.

Un silence de mort s'abattit dans la salle. Le Torcol avait lâché son couteau qui heurta l'assiette. Le capitaine se leva. Son visage qu'il veillait à ne jamais laisser voir avait pâli – d'une pâleur qui s'intensifiait – sans néanmoins trahir la moindre émotion.

– Vous avez glorieusement gagné votre pari, messire, fit-il en souriant. Voici l'argent.

Il sortit deux ducats de sa poche et les jeta sur la table. Le comte les prit et les tint un moment sur sa paume ouverte. Il paraissait soudain dégrisé et quelque peu effrayé de sa hardiesse.

– L'heure est venue de prendre congé, reprit le capitaine, car si l'un reste, l'autre part; je propose que nous buvions un dernier verre en signe d'amitié et d'adieu.

Il leva son gobelet.

– Droit au cœur! A votre santé, messire!

1. En français dans le texte.

– Longue vie à vous ! balbutia le gentilhomme qui brandit son verre et le porta à ses lèvres.

Il ne s'était pas rendu compte que Lies la Rousse avait le pistolet à la main et qu'elle versait déjà la poudre dans le bassinet.

Le coup partit avant qu'il eût vidé son verre. Il s'affaissa sur sa chaise avec un gémissement. Son visage se décolora, sa tête retomba sur sa poitrine. Ses doigts lâchèrent le verre qui se brisa à terre et les deux pièces d'or roulèrent à travers la salle.

Immobile, le capitaine huma l'odeur de la poudre. Puis il ramassa son masque.

– S'est-il rendu compte qu'il allait mourir ? demanda-t-il en jetant un regard au comte étendu.

– Au dernier moment, oui, je crois qu'il s'en est rendu compte, fit Lies la Rousse. Mais je ne lui ai pas laissé le temps de crier « Seigneur Jésus » ! Droit au cœur, comme tu l'as demandé. Je regrette pour lui, pour son enjouement. Mais la besogne n'est pas finie, en voilà encore un là-bas qui a vu ton visage. Et, du canon de son arme, elle désigna le vieil homme qui s'était réveillé sur son banc et qui, assis, regardait l'assistance avec un sourire hébété.

Le brigand s'empressa de dissimuler son visage.

– Mordieu ! cria-t-il. N'est-ce pas assez d'un ? Que ferais-je d'un vieillard impliqué malgré lui ! Dois-je encore me faire son meurtrier ?

– A ta guise, fit Lies la Rousse. Mais hâte-toi, ne le fais pas attendre car la peur de la mort est pire que la mort.

– Un vieillard! soupira le capitaine. Je n'en ai pas le cœur, je ne puis m'y résoudre!

– Je veux bien m'en charger à ta place, proposa le Torcol. Mais donne à l'aubergiste de quoi payer l'enterrement et faire dire une messe.

– Il ne doit pas rester en vie, trancha le capitaine. Mais Dieu sait qu'il m'en coûte. Qu'on fasse venir l'aubergiste.

Voyant le mort, l'aubergiste leva les bras au ciel, mais lorsqu'on lui dit que son père devait mourir à son tour, il se jeta à terre et se mit à crier et à supplier en se frappant de ses poings.

– Tes supplications sont vaines, coupa le capitaine. Dieu sait s'il m'en coûte. Mais il doit en être ainsi. Va et fais-lui tes adieux.

– Que vous a-t-il fait? se lamenta l'aubergiste. Aie pitié de lui! Ton cœur est-il de pierre? Es-tu sourd aux prières? C'est mon père et je vous achèterais sa vie si je n'étais si démuni.

– C'est une malchance, fit le brigand ému par les lamentations du tenancier. Mais le mal est fait. Il a vu mon visage, que je ne découvre jamais; je ne puis partir d'ici et le laisser en vie.

L'aubergiste se releva et se tourna vers le vieillard qui était toujours assis sur son banc, le regard vide, comme étranger à la scène qui se déroulait.

– Comment voudrais-tu qu'il te voie? s'écria-t-il. Voilà douze ans qu'il est aveugle. Il faut guider sa cuiller pour qu'il trouve le chemin du plat. Et tu prétends qu'il a vu ton visage!

Il se renversa sur une chaise, cacha sa tête entre ses mains et fut pris d'un rire convulsif et strident.

Le capitaine, d'abord, ne dit mot puis il alla vers le vieillard et, d'un geste brusque, lui pointa son pistolet sous le nez. L'autre ne broncha pas : il continuait de fixer un coin obscur de la salle sans qu'un seul de ses muscles ne tressaillît.

– Il est vraiment aveugle ! s'écria le brigand en laissant retomber son arme. Le ciel soit loué ! cette besogne m'est épargnée. Et toi cesse de rire ! Je suis bien aise qu'il en soit ainsi. En selle, à présent, nous avons déjà perdu trop de temps !

L'aubergiste quant à lui continuait de rire sur sa chaise.

Lorsque les chevaux se furent éloignés, le bonhomme revint dans la salle où il trouva son père en train de ramper.

– Tu as vu son visage ? lui cria-t-il. Lève-toi et parle ! La comédie est terminée, tu peux retrouver l'usage de tes yeux.

– Me voilà riche, fit le vieillard en se relevant avec peine, mais je ne partagerai pas avec toi, car tu m'as toujours traité avec parcimonie et non comme il convient. Que de fois t'ai-je dit...

– Tu l'as vu ? Et tu le reconnaîtras ? l'interrompit l'aubergiste.

– Non. Je n'ai pas pris garde, je n'ai pas eu le temps, murmura le vieillard.

– Tu n'as pas eu le temps! gronda l'aubergiste. Diantre, que veux-tu dire?

– Non! Je n'ai pas eu le temps de le regarder, répéta obstinément le vieillard. Je me suis réveillé quand l'autre est tombé – il désigna le mort – et c'est alors que les pièces d'or ont roulé à terre à travers la salle. Elles sont à moi, maintenant. Je ne les ai pas quittées des yeux de peur qu'elles ne m'échappent. J'en ai vu disparaître une dans cette fente, là-bas dans le coin, j'en suis sûr. Quant à l'autre, elle a roulé jusqu'à moi, sous le banc, j'ai vite mis le pied dessus et je n'ai plus bougé. Mais peut-être y en avait-il trois. En cherchant bien...

– Animal! Quand bien même seraient-elles vingt, s'écria l'aubergiste... Tu ne comprends donc pas? C'est dix mille thalers qui s'en vont en fumée! Une telle opportunité ne se représentera jamais.

Fou de rage, il claqua la porte derrière lui puis s'en alla dans l'étable chercher le cocher et le laquais afin qu'ils vinssent veiller leur maître.

C'est au printemps de l'année 1702, le lundi de la Passion, que les brigands commirent leur dernier méfait. Il y avait, non loin de Militsch, une église célèbre pour son lourd crucifix doré ornant le jubé du maître-autel. L'opération échoua. Quelques semaines auparavant, le curé, sur les conseils de l'évêque, avait en effet déposé ce crucifix fort ancien au château de Militsch; un Christ en bois sculpté, de médiocre facture, l'avait remplacé au-dessus du maître-autel.

Un paysan qui s'était levé au milieu de la nuit pour examiner sa vache malade vit les brigands sortirent bredouilles par la fenêtre. Il ne prit pas le temps de se vêtir et courut, en chemise, au domaine de Melchior von Bafron pour donner l'alerte. Messire Melchior von Bafron ne dormait pas, il était encore à sa table de jeu. Il réunit les gens qu'il avait sous la main : ses paysans, ses charbonniers, les serviteurs de sa maisonnée ainsi que le grand veneur et sa suite.

Mais ce renfort vint trop tard. Les brigands, comme à chaque fois qu'ils étaient en péril, s'étaient déjà dispersés aux quatre vents, chacun cherchant par ses propres moyens à gagner la frontière de Pologne. On eut beau patrouiller, inspecter tous les chemins et les forêts avoisinantes, la bande s'était volatilisée. On ne retrouva qu'un sac de toile égaré par l'un des brigands en fuite, lequel sac contenait du pain, des oignons, un sachet de gros sel et plusieurs molaires enveloppées dans un linge – quelque relique venant d'une église pillée.

Le lendemain matin, le baron Maléfice, accompagné de quelques-uns de ses hommes, se rendit sur les lieux; il venait de Trachenburg, une bourgade où il avait pris ses quartiers. Quatre mois auparavant, il avait quitté la Hongrie où il avait combattu les Turcs, pour regagner la Silésie et reprendre sans délai la chasse aux brigands, qu'il traquait tel un limier. Lorsqu'il apprit qu'on avait arrêté puis relâché un moine mendiant en froc de bure, non loin de la frontière polonaise, il se mit à jurer et à tempêter comme un beau diable. Car il savait qu'un des pilleurs d'églises recourait parfois à ce subterfuge. Il est vrai que lui-même avait croisé, le matin même, aux premières heures, un courrier suédois lequel chevauchait vers Trachenburg muni de la sacoche de cuir réglementaire. Ils avaient conversé en suédois et en français et l'étranger, qui lui donnait du « messire mon cousin », ne lui avait paru autrement suspect. Il n'était pas rare, en effet, que l'on rencontrât dans les parages des envoyés du roi de Suède, et ce depuis la Silésie jusqu'au fin fond de la Poméranie.

Tel fut le dernier méfait des pilleurs d'églises... On n'avait plus entendu parler d'eux depuis lors, quand, une semaine après Pâques environ, le bruit courut pour la première fois que la bande des brigands de Dieu s'était dispersée.

On assurait que lors du partage, une querelle avait éclaté entre les larrons, quelque part dans la forêt polonaise. Ils avaient sorti couteaux et mousquets. Trois d'entre eux étaient restés sur le carreau, les autres s'étaient envolés, emportant l'or. Parmi les morts se trouvait le capitaine.

L'histoire fit le tour du pays : les rouliers la criaient en passant aux moissonneurs, le curé en faisait état à l'église. D'aucuns prétendirent avoir vu de leurs yeux les corps. On fêta partout la fin du fléau et l'on chanta, sur les foires et dans les tavernes, un chant imprimé pour la circonstance et qui relatait la triste fin du capitaine.

Mais quelqu'un dans le pays refusait d'y croire. C'était le baron Maléfice. Il riait de ce qu'il nommait une feinte. Les brigands, insistait-il, avaient eux-mêmes ébruité cette fable : s'ils laissaient raconter que leur capitaine gisait à trois pieds sous terre, c'était à seule fin qu'on cessât les recherches et le laissât jouir en paix de son butin. Et il jura par les griffes, la queue et les cornes du diable de ne pas déchausser ses étriers qu'il n'ait livré au bourreau les brigands de Dieu et leur chef.

Mais les pilleurs ne firent plus parler d'eux. Les églises, les chapelles ne subirent plus d'assaut et les reliquaires qui n'avaient pas été volés brillaient paisiblement dans la pénombre des vitraux, sans qu'aucune main impie se risquât à les ravir.

Au fin fond de la Bohême, dans ce pays de montagnes que l'on nomme les Sept Vallées, les brigands avaient leur quartier secret dans une cabane forestière. C'est là qu'ils se réunirent pour la dernière fois.

Il faisait encore froid en cette heure matinale. Le vent soufflait par les planches disjointes; dehors tombait une fine pluie mêlée de grésil. Quatre des pillards, enveloppés dans leur manteau, étaient couchés sur la paille; épuisés par les nuits de veille, ils fixaient le trésor qui étincelait au milieu de la pièce. L'argent des thalers brillait parmi l'or des ducats de Kremnitz et de Dantzig, que des receleurs de rues borgnes leur avaient remis en échange du butin amassé tout au long de l'année en Bohême et en Pologne.

Ils avaient tenu conseil toute la nuit et la discussion avait été vive car ils ne voulaient pas laisser partir leur capitaine; cet or, selon eux, ne suffisait pas. Ils n'avaient pas encore épuisé toutes les ressources du pays. Mais le capitaine avait décidé une fois pour toutes qu'il était temps de se séparer, et tous leurs efforts pour le fléchir étaient restés vains.

– Dans notre métier, le tribut est lourd, avait-il dit. Prenez garde, on parle trop de nous; le bourreau bientôt n'aura plus qu'à tendre le bras pour nous cueillir. De plus, le baron Maléfice est de retour au pays, et je n'ai pas l'intention de m'y frotter une seconde fois. C'est pourquoi nous ne devons plus nous montrer ensemble, sinon notre fortune ira à reculons. Chacun doit aller son chemin, sans se retourner. Telle est ma volonté, vous avez juré de m'obéir en tout lorsque je vous ai arrachés aux mains du bourreau.

Il n'était pas revenu sur sa décision. Il ne leur restait plus qu'à se partager le gros tas de pièces d'or, avant de se disperser.

Le capitaine se tenait sur le seuil, vêtu de sa redingote élimée dont le velours violet avait pâli. Il pensait aux jours à venir. Avec l'argent acquis, il paierait les dettes qui grevaient le domaine, il achèterait du matériel et du bétail, engagerait de nouveaux domestiques, élèverait de bons chevaux de relais pour les diligences... « Il me faut aussi un lévrier et un cheval de selle pour la jeune demoiselle, la noble fiancée de messire von Tornefeld ! pensa-t-il avec un sourire. Non, l'argent ne manquera plus dans la maison ! »

Pendant ce temps, Lies la Rousse, accroupie sur le sol de la cabane près du petit tas d'or et d'argent qui revenait au capitaine, remplissait la sacoche de son maître. Feuerbaum s'était levé, ne pouvant supporter ce spectacle plus longtemps. L'or destiné à un autre lui faisait mal aux yeux.

– Diable ! s'écria-t-il. Quelle est donc la règle ici ? Je vois que chacun se sert à sa guise !

– C'est la part du capitaine, mêle-toi de tes affaires, répliqua le Torcol. Tu devrais plutôt le remercier pour ce qu'il te laisse, car lorsque tu as débarqué, tu n'avais rien sur le dos, qu'une chemise en loques. C'était là tout ton bien. Mais il a fait notre fortune et te voilà riche à présent.

– Riche ? cria Feuerbaum outré. Que chantes-tu là ? Qui donc est riche en ces temps de famine où le boisseau de blé vaut plus de onze sous ? Je ne toucherai pas à ma part, je veux la garder pour mes vieux jours, car lorsque je serai paralysé par la goutte, qui m'aidera ? En attendant je dois m'en remettre à la miséricorde divine et mendier le pain sec auprès des paysans pour ne pas mourir de faim. Voilà où j'en suis, voilà ma fortune !

Et c'est avec un ricanement amer qu'il reçut du Torcol le plein chapeau de thalers et la poignée d'or qui lui revenaient en partage.

– Cet or, nous l'avons obtenu au péril de notre vie, déclara le Brabançon. A présent je veux fêter la saint-lundi et me laisser vivre. Un lit de plumes au « Brochet » ou au « Cerf », une bonne table avec poisson et rôti tous les jours, arrosés du vin qui convient, je n'en demande pas plus. La messe matinale, une promenade en voiture l'après-midi ou le soir, quelque divertissement... J'attendrai sereinement ce que réserve l'avenir, voilà comment j'entends vivre.

– Mais si d'aventure, l'interrompit aigrement Feuerbaum, un mardi maigre ou un mercredi plus maigre encore succède à ton saint-lundi, ne viens pas m'importuner ou boiter à ma porte, je ne te donnerai pas un liard, sache-le !

– Sois sans crainte, répondit posément le Brabançon. Je n'irai pas piétiner les lis et le réséda de ton huis...

Vint le tour de Torcol. Comme il était le second de la bande après le capitaine, il avait reçu deux poignées de pièces d'or.

– Pareils aux hiboux, nous avons fui la lumière du jour, fit-il. Ce temps est révolu. Je veux courir le monde à cheval, voir Venise, l'Espagne, la France et la Hollande, admirer les pays au grand jour. Et si je dépense deux thalers la semaine, et le dimanche un écu de plus, il me restera aussi bien de quoi vivre jusqu'à la fin de mes jours.

Veiland, un gaillard charpenté au visage blême, faisait glisser les ducats entre ses doigts :

– Ici, en Bohême, gloussa-t-il, personne ne me connaît : je m'en vais faire fondre dans l'or pur un gobelet et un couteau, une cuiller à pot et une cuiller à tabac, ainsi que deux coffrets, également d'or – un pour la poche droite, un pour la poche gauche. Dans celui de droite, le tabac d'Espagne, pour mon usage, et dans celui de gauche, le tabac de Bahia, pour les amis – car il faut bien épargner...

– Et toi, cabri? lança le Torcol à Lies la Rousse qui, toujours accroupie par terre, ne soufflait mot. Pourquoi cet air malheureux quand tu vas vivre dans le velours et la soie? Tu as le cœur lourd? Ne retiens pas qui ne veut rester. Un de perdu, dix de retrouvés, tu connais la chanson. Mets des souliers à boucles dorées, des parures de perles à ton cou et dans tes cheveux, des bagues et des bracelets d'or et tu verras accourir les galants!...

Lies la Rousse ne répondit pas. Elle se leva et voulut soulever la sacoche du capitaine mais celle-ci était trop lourde et le Torcol dut l'aider à la porter dehors.

Au seuil de la cabane, elle tenta une dernière fois de fléchir son amant.

– Emmène-moi! l'implora-t-elle en posant le front sur son épaule. Ne dis plus non! Je sais bien que tu as jeté ton dévolu sur une autre, et sans doute est-elle plus belle que ce que la terre a jamais porté. N'importe! Emmène-moi, je ne me mettrai pas en travers de ton chemin. Je saurai me faire oublier derrière le poêle de l'office; oui, j'accomplirai les tâches les plus ingrates, pourvu que je sache où tu es et ce qui t'advient.

– N'y songe pas, l'avertit le capitaine avec une

froide obstination. Autant chercher un galet sec au fond de la mer.

Lies la Rousse se mit à pleurer sans bruit puis elle s'apaisa, sécha ses larmes et dit d'une voix étouffée :

– Adieu, pour toujours! Je t'ai aimé plus que moi-même. Va et que Dieu te garde, quoi qu'il arrive.

Veiland et le Brabançon étaient sortis à leur tour et prenaient maintenant congé de leur capitaine. Ils lançaient leurs chapeaux en l'air en criant des vivats et en tirant des coups de feu qui résonnaient à travers la forêt. Enfin, comme le capitaine éperonnait sa monture en adressant un dernier signe d'adieu à ses compagnons, Veiland arracha le foulard de son cou et y mit le feu à la santé et à la prospérité du cavalier.

Une semaine plus tard, Feuerbaum cheminait en robe de moine sur la grand-route de Silésie. Il avait caché son argent en trois endroits de la forêt et marqué les arbres afin de le retrouver. A présent il allait de village en village et de ferme en ferme. Sa besace de mendiant contenait du pain et des oignons, trois pommes aigres, un petit morceau de fromage et, enveloppée dans un linge, une mèche de cheveux qu'il faisait passer pour une relique.

Comme il avalait la poussière du chemin, il entendit derrière lui le trot d'un cheval; il tourna la tête et vit arriver un courrier suédois en redingote bleue à boutons de cuivre, chausses en peau d'élan, ceinture en cuir de buffle et chapeau à plumes. Aussitôt Feuerbaum se rangea sur le bas-côté et tendit la main, sans grande conviction cependant car il était rare que les officiers du roi de Suède missent la main à la poche lorsqu'ils croisaient un moine mendiant.

Mais ce cavalier arrêta son cheval, et tandis qu'il jetait un demi-gulden de Poméranie au moine, un sourire passa sur ses traits.

Feuerbaum qui avait attrapé la pièce au vol tressaillit. Il dévisagea le cavalier. Il connaissait ce sourire narquois, ces yeux de loup, ces sourcils broussailleux barrant le front où s'inscrivait une ride. N'était-ce pas son capitaine en personne qui était là devant lui?

– Est-ce là tout ce que tu as pour ton compagnon? s'écria-t-il en saisissant le bras du cavalier. Je t'ai reconnu aussitôt malgré la barbiche qui orne ton menton. Descends de cheval... et si tu as quelque chose à boire...

Il se tut car sur le visage du cavalier le sourire avait disparu; un étranger toisait l'homme en robe du bure et une voix qu'il n'avait jamais entendue lança en écorchant la langue :

– Que veux-tu, moine? Un demi-gulden, pas assez? Écarte-toi... sinon, pluie de coups...

Le moine défroqué scruta une nouvelle fois ce visage étranger, puis il leva les bras au ciel et s'excusa bien haut : il avait pris le noble seigneur pour un autre; il prenait Dieu à témoin, lui-même ne comprenait pas... Le cavalier ne le laissa pas achever :

– *Misérables excuses*[1]! grasseya-t-il. Je ne veux rien savoir. Un demi-gulden, pas assez? Écarte-toi, animal maudit!

Le défroqué s'empressa d'obéir; l'homme à cheval déjà s'éloignait, ne laissant derrière lui que l'écho sarcastique d'un rire que Feuerbaum, de nouveau, reconnut. Bouche bée, les yeux écarquillés, il regarda disparaître le cavalier suédois. Un moinillon qui eût croisé le diable en personne eût moins tremblé en se signant.

1. En français dans le texte.

TROISIÈME PARTIE

Le Cavalier suédois

Lorsque le Cavalier suédois arriva au moulin abandonné, le soleil était encore haut dans le ciel. Pas un nuage; la campagne dormait dans le silence d'été.

Pas un souffle de vent, pas un cri d'oiseau, seul résonnait le chant des grillons mêlé au bourdonnement des abeilles, telle la basse obstinée d'un orgue. Une vanesse voletait parmi l'ambroisine, la cardamine et les dents-de-lion. Au loin, là où se dressaient les forges et les fonderies de l'évêque, un nuage de fumée noire couronnait les sapins.

Le Cavalier suédois porta le regard dans cette direction : un vague sentiment de malaise et de découragement l'envahit alors, comme si un danger couvait là-bas qui le menaçait. Mais d'un mouvement de la tête il chassa cette pensée avant qu'elle ne prît corps. Puis il mit pied à terre et attacha son cheval au tronc d'un saule, près duquel la bête pouvait paître à loisir.

La porte du moulin était verrouillée, les volets étaient clos, la cheminée froide. L'ancien meunier qu'il avait pris naguère – l'heure étant sombre – pour un fantôme sorti de sa tombe, quelque âme en peine échappée du purgatoire, devait courir la grand-route parmi les huhau et les claquements de fouet, afin d'approvisionner son maître l'évêque en denrées venues des quatre coins du monde. Il pouvait bien, à présent, apparaître au haut de la colline avec son attelage – qui le craindrait?

Le Cavalier suédois s'assit dans l'herbe haute du pré. Adossé au muret du puits, il se prit à rêver, les yeux mi-clos. Il revoyait le jour où, misérable et transi, il était monté au moulin en se frayant un passage dans la neige qui lui arrivait aux épaules; il avait alors conquis l'arcane et sa fortune avait commencé. Empanaché, les poches gonflées d'argent et de lettres de change, il pouvait à présent parader en gentilhomme de par le monde. Qu'il s'avise de paraître, ce meunier d'outre-tombe, avec sa gueule torve! Le purgatoire n'existait que dans la cervelle enfiévrée des prélats; le Brabançon qui avait roulé sa bosse le lui avait dit, lui qui avait fréquenté tous les lieux où l'on grille le lard sur la braise... mais qu'était ce vacarme alentour, d'où venaient soudain ces clameurs? Venise tombait-elle aux mains du Sultan? Que veulent ces gens? Pourquoi ces hurlements? Des voix fusaient de toutes parts, des voix graves, des voix stridentes, criant avec insistance : « Dépêchez-vous!... »

Le Cavalier suédois sursauta. Quels étaient ces gens, que voulaient-ils? Il regarda tout autour de lui. Personne à la ronde. Il ne vit que son cheval attaché près de lui, qui paissait l'herbe, la bruyère et le lotier. Pas un bruit ne rompait le silence où bruissaient les abeilles, pas un appel, pas un cri.

Il s'adossa de nouveau au muret, laissa retomber sa tête sur sa poitrine. Alors les appels reprirent, plus de cent voix fusaient de toutes parts, qui hurlaient : « Dépêchez-vous! Dépêchez-vous! » Puis Le crescendo cessa et ce fut le silence. Il s'aperçut qu'il était dans les cieux : des tours, des murs de nuages l'encerclaient qui brillaient d'un éclat insoutenable. Il porta les mains à son visage et, entre ses doigts écartés, il distingua trois hommes assis sur des sièges auxquels conduisaient des marches. Ils portaient des souliers rouges et de longs manteaux bordés de fourrure. L'un d'eux, assis au centre, lui était familier; il reconnaissait ce jeune homme au regard sévère pour l'avoir vu maintes fois figuré : c'était saint Michel, le chancelier du ciel. Devant les trois hommes se tenait un chérubin de haute stature qui brandissait à deux mains une épée nue. Alentour, à perte de vue, se pressaient les cohortes célestes, celles qui l'instant d'avant avaient crié : « Dépêchez-vous! » Car un jugement allait être rendu auquel tous devaient assister.

– *Votre très humble serviteur* [1], murmura le Cavalier suédois qui, soucieux de témoigner à l'ange à la balance et à ses assistants les hommages qui leur étaient dus, s'inclina et mit chapeau bas avec panache. Aucun ne lui accorda un regard. Et comme le silence régnait à présent parmi les rangs, l'ange à l'épée prononça d'une voix sonore :

– Michel et vous, juges assesseurs du Tribunal suprême, je vous le demande : est-ce bien le jour, est-ce bien l'heure de rendre ce jugement?

Les trois hommes aux longs manteaux répondirent avec ensemble :

– Le Juge tout-puissant pense que l'heure est venue. L'heure est donc venue.

L'ange à l'épée leva les yeux vers les nuées qui étincelaient juste au-dessus de lui.

– Seigneur et Juge tout-puissant! s'écria-t-il. La composition de ce tribunal vous agrée-t-elle?

Des nuées, la voix du Juge suprême s'éleva tel un vent de tempête parmi les chênes.

– Elle m'agrée. Que celui qui doit accuser accuse!

Un murmure, un froissement d'ailes se fit entendre parmi les rangs de la céleste audience. Puis ce fut le silence. Le Cavalier suédois fut soudain pris de peur. « Que fais-je ici? se demandait-il. Que me veut-on? » Et il se mit à tapoter nerveusement le devant de sa redingote bleue, cherchant alentour une éventuelle issue. C'est alors qu'il vit tous les yeux converger sur lui. L'ange à l'épée rompit le silence :

1. En français dans le texte.

– J'accuse cet homme, que je fais comparaître ici, d'avoir été un voleur, des années durant, et d'avoir spolié les paysans du pain, de la saucisse, des œufs et du lard qu'ils remisaient chez eux, sans parler d'autres biens. Voilà ce dont je l'accuse devant le Tribunal de Dieu, une fois, deux fois et par trois fois.

– Est-ce là tout? fit l'homme au long manteau qui était assis à la droite de saint Michel. Il n'est pas facile, sur terre, de gagner d'honnête façon un quignon de pain, un œuf ou un morceau de lard.

– Il était pauvre et n'avait que son ombre, renchérit l'assesseur de gauche.

Le chancelier céleste leva à son tour son visage austère et proclama :

– Comment blâmer le manant en habit de coutil quand le riche amasse fortune d'inique manière!

– Qu'on le laisse aller, il n'est pas coupable, fit la voix du Juge avec la douceur d'un accord de harpe.

– Béni soit Dieu! murmura le Cavalier suédois en s'épongeant le front. Loué soit Son Nom divin.

Aussitôt un chœur de voix célestes reprit :

– Béni soit Dieu! Loué soit Son Nom divin!

L'ange à l'épée ne broncha pas. Le front soucieux, il fixait du regard saint Michel et les deux assesseurs. Lorsque le silence revint, il reprit son réquisitoire.

– Ce n'est pas tout. J'accuse ce même homme d'avoir été brigand. Il a pillé les églises, et cela une année durant, dérobant l'argenterie du culte : encensoirs, patènes, calices et chandeliers, ornements et reliquaires d'or, tout alimentait sa prospérité. Voilà ce dont je l'accuse, une fois, deux fois et par trois fois.

– Oui, je le reconnais. Dieu me prenne en pitié! gémit le Cavalier suédois qui jeta à l'archange un regard plein de crainte.

– Dieu le prenne en pitié! reprit le chœur céleste.

Le premier assesseur prit alors la parole :

– L'or et l'argent sont les armes du mal, le cruel appareil d'en bas. Ils ne nous concernent pas.

– Ils ne nous concernent pas! répéta le second assesseur, mais relèvent de la folle vanité des hommes. Au regard du ciel, un Ave Maria dit avec humilité vaut bien plus que la pompe et l'or!

– Ils ne nous concernent pas! trancha saint Michel qui tourna son regard vers le ciel. Lorsqu'Il séjournait sur terre, Lui en tout cas n'avait ni or ni argent : que Lui importent ces richesses?

Et des hauteurs lumineuses retentit la voix du Juge tout-puissant :

– Qu'on le laisse aller, il n'est pas coupable.

« Je n'aurais jamais cru, murmura à part soi le Cavalier suédois en poussant un profond soupir – tandis qu'autour de lui un retentissant “ *Benedicamus Domino* ” montait vers le ciel –, par mon âme, je n'aurais jamais cru qu'au royaume des cieux on usât d'une telle clémence envers les pauvres pécheurs. L'autre là-bas, avec son épée, en est pour ses frais, je n'aimerais pas être à sa place. Pourquoi reste-t-il planté là? L'affaire est classée. Qu'attend-il donc? »

– Ce n'est pas fini! s'écria au même instant l'ange à l'épée. Car cet homme ici présent qui en découd avec lui-même, cet homme, ô Juge suprême, cache en vérité une âme si perfide qu'il a honteusement bafoué son compagnon d'infortune, le gentilhomme suédois, allant jusqu'à prêter un faux serment. Malheur à lui, malheur à lui, une fois, deux fois et par trois fois!

Un long silence suivit la malédiction de l'ange. Le premier assesseur parla ensuite, d'une voix empreinte de consternation :

– Ce péché est grave, très grave, nous devons l'examiner et délibérer.

– Comment a-t-il pu trahir son compagnon d'infortune, s'étonna le deuxième. La lumière divine se serait donc éteinte en son âme?

Saint Michel hochait la tête.

– Toutes ces paroles sont-elles vraiment fondées? plaida-t-il.

Puis levant les yeux, il s'enquit :

– Plaignant! Où sont tes témoins?

– Tiens, c'est vrai, où sont-ils, tes témoins? murmura le cavalier en qui bataillaient la peur et l'espoir insolent. Où iras-tu les chercher, plaignant? Il n'y avait personne.

– Les témoins sont là, ils attendent d'être entendus, répondit l'ange à l'épée. Faites place car ils sont légion.

Au signe de sa main, les cohortes célestes reculèrent, élargissant leur vaste cercle. Alors l'ange appela les puissances d'en-bas :

Brandes, roseaux, sables et prés,
Labours et sentiers,
Neige, vent, saules des marais,
Feu, rus, clos et haies,
Pierres du chemin, masure éclairée,
Comparaissez et déposez!

Des profondeurs montèrent alors les témoins muets, les choses de la terre... et ce fut un grand parlement de crécelles et de bourdons. Les juges célestes entendaient cette langue-là, car la voix de l'archange s'éleva bientôt au-dessus du tumulte :

– Les témoins ont été entendus. Le forfait est avéré.

– Il est coupable! tonna la voix du Juge suprême. Qu'il porte seul, désormais, le poids de ses péchés et ne les confesse qu'à l'air et à la terre. Tel est mon jugement!

Le Cavalier suédois sentit les frissons de la peur le parcourir. Le désespoir soudain l'envahit, il pressa les poings contre ses tempes : il sentait l'effroi se glisser en lui. Alentour, les cohortes en pleurs demandaient grâce; l'ange à l'épée, lui-même pris de compassion, lança vers les nuées :

– Seigneur et Juge tout-puissant! la peine est bien lourde! N'y a-t-il pour lui point de merci?

– Point de merci! fit la voix de tonnerre. Je le remets entre tes mains, il t'échoit d'exécuter ce jugement. J'en appelle à ton honneur et au serment que tu as prêté.

L'ange à l'épée baissa la nuque en signe d'obéissance.

– Je l'emmènerai donc, dit-il, je le reconduirai là-bas sur la lande herbeuse...

Le cavalier étira les bras et se leva. Puis il s'étira de nouveau, se frotta les yeux et détacha son cheval.

« Si c'est autre chose qu'un rêve, se dit-il en chevauchant vers le bas de la vallée, je ne craindrai plus jamais les foudres de Dieu. Ainsi donc je dois tenir secrète mon existence passée! Il ne veut rien d'autre au fond que ce que je veux. Je serais bien fou d'aller conter à la ronde qui je suis et ce que j'ai fait! Cela dit, le jugement dernier doit avoir une autre allure : les trompettes y font un tel tintamarre que les oreilles vous en sifflent; mais là, rien, pas même le gémissement d'une cornemuse. Fantasmagories de songe, rien de plus! »

Il lui paraissait néanmoins énigmatique, dans ce songe, qu'il eût éprouvé un tel effroi à l'idée de ne rien pouvoir confesser de sa vie passée. Mais il n'avait pas le temps de s'attarder à cette idée. Un autre souci emplissait son cœur.

Les champs qui bordaient son chemin regorgeaient de tiges aux lourds épis. La terre avait été dûment fumée : on avait su attendre un temps favorable et l'on avait semé au bon moment. Les valets, cette fois, travaillaient avec une belle ardeur : ce n'était partout que moissonneurs, lieurs et porteurs de gerbes qui œuvraient avec un bel ensemble.

« On sent qu'une main ferme les tient, songeait le cavalier avec un pincement. La situation n'est plus ce qu'elle était. Je pense que j'arrive trop tard. La jeune demoiselle s'est mariée et le nouveau maître du domaine connaît la terre. Ma fortune s'achève avant de commencer. »

Mais à mesure qu'il approchait, à mesure que se dessinaient les chaumines et le toit d'ardoise du château, là-bas derrière les érables, il retrouvait les champs dans l'état pitoyable de jadis : le brome, la vesce, le bec-de-grue, la shérardie avaient envahi les moissons; une matière charbonneuse tenait lieu d'épi aux blés, car on avait semé hors de saison. La semence de surcroît était verte, et le sol mal fumé.

Le cavalier se redressa sur sa selle et éperonna son cheval.

« Non! chantait en lui une voix allègre. Elle n'est pas mariée. Il n'y a pas de nouveau maître au domaine. La pauvreté l'aura contrainte à vendre ses champs et ses prés aux voisins et à ne garder que les terres attenantes à la ferme. Le ciel soit loué, j'arrive à temps! »

Il allait la revoir et son cœur bondissait tel un cheval sauvage. Il attendit au jardin, et lorsqu'il la vit avancer dans l'allée de gravier, chaussée de ses fins souliers de maroquin rouge, il oublia toutes les formules courtoises qu'il avait préparées. Une seule pensée l'emplissait : le rêve chimérique était devenu réalité, son destin allait se jouer dans l'heure. Pour la première fois, il eut peur et trembla d'être reconnu. « D'où viens-tu, pauvre homme? crut-il entendre à nouveau... va à l'office et fais-toi servir une panade! »

Il rassembla tout son courage et, le chapeau sous le bras, se dirigea vers elle, s'inclina et attendit. Il s'agissait de parler, mais il ne pouvait articuler le moindre son et ce fut elle qui prit la parole :

– Vous me pardonnerez de vous avoir fait attendre, messire. On vient seulement de m'annoncer qu'un cavalier inconnu désirait me voir. Je n'étais pas à la maison, j'ai dû aller chasser les poules du jardin où elles dévastent tout.

Oui, c'était la voix qui par ses prières, jadis, l'avait sauvé du gibet. Le Cavalier suédois, envoûté, la contemplait, buvait ses paroles. Elle était belle comme le jour, le diable lui-même ne pouvait que glorifier pareille beauté.

– Sans doute ne convient-il pas que vous vous présentiez vous-même, reprit-elle, *mais, monsieur, je ne tiens pas à l'étiquette* [1].

– Pouvez-vous répéter ces derniers mots, mademoiselle, demanda le Cavalier suédois, qui semblait s'éveiller d'un songe. Je comprends le français comme ci comme ça, n'ayant jamais eu qu'un médiocre précepteur, et je le parle mieux que je ne l'entends.

La jeune fille jeta un regard surpris à ce gentil-

1. En français dans le texte.

homme peu soucieux de paraître qui reconnaissait si franchement l'insuffisance de son français.

– Vous êtes officier, messire? demanda-t-elle.

– En effet, je suis officier de la Couronne suédoise pour servir Dieu et tous les gens de bien, fit le cavalier en portant la main au pommeau de son épée.

– Et vous venez de loin?

– Tout droit de la cavalerie de Sa Majesté, aux côtés de qui j'ai pris part à quelques batailles, cela dit sans me vanter. Mais j'ai maintenant renoncé à la vie de soldat.

– Et que puis-je pour vous, messire? s'enquit la jeune fille qui ne s'expliquait toujours pas la visite de l'officier inconnu.

– Mon chemin m'a conduit ici et je ne voulais pas manquer de présenter mes respects à mademoiselle, répondit le Cavalier suédois.

– Je vous en suis *reconnaissante* [1], messire, fit la demoiselle en fixant ses souliers rouges avec embarras.

Ils restèrent un instant sans savoir que dire. Du jardin montait la senteur des tubéreuses, des œillets et du jasmin. Au loin la poulie d'un puits troubla le silence.

– Ce n'est d'ailleurs pas la première fois que je viens au domaine, risqua le Cavalier suédois d'une voix mal assurée.

– Oui, s'excusa la jeune fille après un moment de

1. En français dans le texte.

réflexion, du vivant de mon père nous avions des invités tous les jours, dont beaucoup étaient officiers. Le train de vie, bien sûr, s'est réduit...

– J'ai appris non sans douleur que messire votre père avait quitté ce monde, déclara le Cavalier suédois. J'ai souvent pensé à lui, il était mon parrain.

– Mon père était votre parrain, messire! s'écria la jeune fille étonnée.

– Oui, et j'ai ici un petit anneau dont vous m'avez fait présent, mademoiselle, et que je conserve avec soin, poursuivit le cavalier.

La jeune fille était devenue livide.

Elle porta la main à son cœur, cherchant à apaiser sa respiration, et d'une voix à peine perceptible murmura :

– Je vous supplie, messire, de me dire qui vous êtes.

– J'espérais que vous me reconnaîtriez, mademoiselle, articula le Cavalier suédois d'une voix étranglée par la peur. Si seulement vous aviez souvenir de ce jour où nous avons descendu la colline en traîneau... nous avions versé à cause des chevaux qui...

Un cri déchira l'air et la jeune enfant, secouée de sanglots et tremblant de tous ses membres, se jeta dans les bras du Cavalier suédois en riant et balbutiant :

– Christian!

– Oui, c'est moi, dit le Cavalier suédois, et en cet instant il devint réellement ce Christian von Tornefeld qu'il avait précipité dans l'enfer de l'évêque.

Avec une tendresse infinie, sa main caressa les cheveux de la jeune fille et ses lèvres prononcèrent le nom qu'il n'avait entendu qu'une fois sans jamais le prononcer.

– Maria Agneta, s'écria-t-il – et elle leva vers lui son visage illuminé de joie où ruisselaient les larmes.

Comme elle allait à son côté en lui donnant la main sur le chemin de gravier et dans les allées du jardin, murmurant à chaque pas « Tu te souviens? ...tu te rappelles? », le Cavalier suédois sentit qu'il touchait à la félicité : après les tribulations et les égarements de sa vie antérieure, il se voyait à l'orée d'un pré en fleurs inondé de soleil.

Il s'arrêta devant un banc moussu que gardait le sourire chaste et mélancolique d'une nymphe dont le grès s'effritait, et considéra pensivement les vestiges, disséminés dans l'herbe, d'un faune aux pieds de bouc. Maria Agneta appuya la tête sur son épaule et pressa sa main.

– Oui, murmura-t-elle. Tu n'as pas oublié. C'est là, juste à l'endroit où gît le petit dieu païen...

– C'est là, répéta le Cavalier suédois sans savoir ce que ce lieu représentait, et son regard hésitant allait du faune cornu au banc et à la nymphe.

– C'est là que nous nous sommes juré que l'amour ne s'éteindrait pas dans nos cœurs, poursuivit Maria Agneta. Toi, Christian, tu as dit : « Je ne t'oublierai pas, tout comme je n'oublierai pas Dieu. »

– Oui, ce sont là mes paroles, acquiesça le Cavalier suédois d'une voix ferme.

– Durant les heures difficiles qui suivirent la mort de mon père, confessa-t-elle tandis qu'ils reprenaient leur marche, elles furent ma seule consolation, mon seul espoir. Tu es revenu, j'en remercie Dieu à genoux. Tu m'as fait longtemps attendre, Christian...

– Pour moi aussi, ce furent des heures difficiles, déclara le Cavalier suédois. J'ai dû marcher sans fin sur les routes poudreuses, coucher sous la neige et la pluie, derrière les haies. Mais ce temps est passé.

– Si tu avais tardé un peu plus, tu ne m'aurais pas trouvée ici, dit-elle. Car je dois quitter ce domaine, pour chercher sans doute quelque emploi de laveuse ou de gouvernante.

– Laveuse, gouvernante? Toi! Une si noble demoiselle! fit le Cavalier suédois stupéfait.

– Oui, à moins que je ne choisisse de livrer du lin ou de la toile dans les maisons! Je ne puis rester au domaine.

– Et pourquoi cela, ma cousine? s'enquit-il.

– Je suis pauvre à présent, mes biens sont dilapidés, répondit-elle. Tout appartient désormais à mon parrain, messire von Saltza; le toit que j'ai sur la tête, le lit dans lequel je dors sont à lui. Il détient mes reconnaissances de dettes et me presse de le prendre pour épouse... Christian! Où sont passées les taches de rousseur que tu avais sur le visage?

Maintenant je comprends pourquoi je ne t'ai pas reconnu tout de suite...

– Ce messire von Saltza, je le connais, je crois, l'interrompit le Cavalier suédois qui se remémorait fugitivement l'homme à la barbiche. Et ma cousine ne veut pas le prendre pour époux?

– Comment peux-tu me poser cette question, Christian! fit la jeune fille d'une voix où perçait un léger reproche. Plutôt dormir telle une servante sur la paille d'avoine que de partager le lit de plumes de cygne où me convie mon parrain!

– Mon amie, ma bien-aimée! s'écria le Cavalier suédois en lui saisissant les mains dans un mouvement de joie. Ne crains pas ce messire von Saltza ni ces reconnaissances de dettes. Qu'on me les apporte, elles seront réglées. A combien s'élèvent-elles?

– Je ne sais pas, répondit la jeune fille. L'intendant l'a inscrit sur ses livres de comptes. J'ai dû vendre aussi les champs, les pâtures, le vivier sans trop comprendre pourquoi! Il n'y avait jamais d'argent dans cette maison.

– Comment veux-tu qu'il en aille autrement! s'écria le Cavalier suédois qui éclata d'un rire si bruyant que la jeune fille en tressaillit de peur. Pas un qui ne soit honnête dans ce domaine – ma cousine le sait-elle? L'intendant, le teneur de livres, le maître-berger : autant de larrons qui méritent la corde – ma cousine le sait-elle? Ils seraient bien en peine de faire régner la discipline parmi les valets. Ici chacun agit à sa guise – ma cousine le sait-elle?

– Mais comment sais-tu cela, Christian? s'étonna Maria Agneta.

– Hier, *chemin faisant* [1], j'ai examiné les champs, c'est une catastrophe, se désola le Cavalier suédois. Et ce matin, à la première heure, alors que ma cousine dormait encore, j'ai inspecté la ferme. Ma visite fut édifiante : le teneur de livres élève pour son propre compte quatre vaches qu'il nourrit grâce au regain qui pousse dans les champs de Sa Seigneurie – ma cousine le sait-elle? Le palefrenier et le bouvier se régalent chaque matin de galettes et de lard grillé qu'ils arrosent de lait battu, quand ils devraient se sustenter de soupe, de pois, de raves et de choux. Les moissonneurs emportent aux champs, qui un pain de fromage, qui une trentaine d'œufs, qui un canard... et s'empressent d'aller vendre le tout au village. Quant à l'intendant, il ferme les yeux, car tous au domaine ont vent de ses escroqueries : tel est l'homme que vous avez placé à la tête du domaine, ma cousine, et vous le payez grassement de surcroît.

– Je ne savais pas, fit la jeune fille d'un ton contrit. Mon tuteur, messire von Tschirnhaus, qui l'a connu enfant, dit qu'il est honnête.

– Au berceau, *sans doute* [1], rétorqua le Cavalier suédois en riant. Mais depuis il a bien changé. Et ce n'est pas tout. Les granges, les écuries sont de vraies passoires! Il y pleut comme dehors, et le foin qui pourrit empoisonne le bétail. A cette époque

1. En français dans le texte.

de l'année, on devrait avoir déjà semé le millet, repiqué les choux, fauché l'herbe et rentré le foin – or rien de tout cela n'est fait. Ma cousine le sait-elle?

– Tu devrais parler à ces gens, Christian, leur faire connaître ta volonté, essayer de redresser la situation, suggéra la jeune fille.

Le Cavalier suédois écarta sa proposition d'un geste de la main.

– Parler ne fait qu'altérer le gosier, déclara-t-il. Ce qu'il faut, c'est leur frotter les épaules. Le jonc des Indes saura les mettre à raison. – Hé, toi! on ne t'a jamais appris à saluer?

Le valet qui allait passer près d'eux sans les voir arracha son bonnet graisseux et fit sa courbette lorsqu'il entendit l'apostrophe.

– Cours chercher l'intendant! ordonna le Cavalier suédois. Et dès que tu l'as trouvé, dis-lui de venir avec ses livres de comptes, les maîtres le demandent. Qu'il m'attende en haut dans le cabinet de Sa Seigneurie.

Le Cavalier suédois ne revint au jardin que deux heures plus tard. Dès qu'elle l'aperçut Maria Agneta courut à sa rencontre.

– De ma vie je n'ai accompli besogne aussi ingrate, avoua-t-il en passant la main sur son front. Plutôt chevaucher dix heures sur des chemins défoncés par les pires intempéries que de m'y soumettre à nouveau. L'intendant a noirci plus de papier qu'il n'en faudrait en deux années à tous les fromagers du Saint Empire. Mais ce qu'il a omis de consigner, c'est qu'il a prélevé le cinquième de la laine et détourné quotidiennement le quart du produit de la traite. Avec la permission de ma cousine, je l'ai envoyé au diable. Il n'a pas demandé son reste.

– Tout ce que tu décideras sera pour le mieux, déclara Maria Agneta.

– Lorsque les dettes seront réglées, reprit-il, il me restera tout juste de quoi payer le prêtre et la cérémonie du mariage, les musiciens, la robe et la collation pour les voisins, si ma cousine partage également mon sentiment sur ce point.

– Christian! fit doucement la jeune fille. Je t'attendais et j'attendais cet instant! A présent, je m'en remets à toi, je t'ai toujours aimé, je n'ai jamais aimé que toi.

– Tu n'as jamais aimé que moi... répéta le Cavalier suédois qui fléchit la nuque un instant et pensa malgré lui à l'autre, à l'homme perdu qu'il avait, au nom de cet amour, privé de son nom, de sa liberté et de son honneur.

Il se reprit :

– ...et ma cousine ne trouvera personne en ce monde pour la chérir autant. Je dis vrai, Dieu m'est témoin...

– Je le sais, Christian, dit en souriant Maria Agneta.

– Mais je tiens à mettre en garde ma tendre fiancée, ajouta le Cavalier suédois, la tâche qui m'attend est ardue. Nous devrons user de patience et partager le pain d'avoine avec les domestiques.

– Je partagerai ce pain d'avoine avec toi, Christian, dit Maria Agneta. Et je rends grâce à Dieu qui me comble...

Une nuit, vers le septième mois, Maria Agneta se réveilla et ne put se rendormir. Minuit venait de sonner. Elle sentait l'enfant bouger en son sein. Si c'était une fille, et elle désirait une fille, elle s'appellerait Maria Christine. Elle se plaisait à l'imaginer traversant la cour dans sa robe de taffetas blanc, la tête coiffée d'un béguin noir et blanc. L'enfant soudain s'empêtrait dans sa robe, alors les valets, les servantes couraient lui porter secours en riant, oui, tout le domaine riait, jusqu'aux oies et aux boucs de l'étable... Et comme elle reposait, les yeux clos, un sourire aux lèvres, ses pensées vagabondaient : un an auparavant, les coffres étaient vides, elle n'avait plus ni linge ni draps, mais à présent tout allait bon train car la maison avait un maître; elle sentait que son bonheur était bien assis et elle en remerciait Dieu qui dispense les bienfaits. Elle aimait son époux par-dessus tout et lorsqu'il était aux champs, elle brûlait d'impatience. Le soir, dès qu'elle entendait son pas dans l'escalier, son cœur battait à tout rompre tant sa joie de le revoir était grande. A présent il dormait auprès d'elle. Elle se redressa un peu et tendit l'oreille. Il respirait calmement mais quelquefois, la nuit, il menait une vie tumultueuse; il gémissait, agitait les bras en tous sens et criait... le rêve le ramenait sans doute auprès de son roi, dans les rangs de l'armée suédoise.

Tous les villageois, tous les hobereaux du voisinage l'appelaient le « Cavalier suédois » car il ne quittait jamais la redingote bleue qu'il portait naguère lors de son arrivée au domaine. On le moquait, on murmurait qu'il n'aimait guère paraître au grand jour de crainte qu'on ne remarquât les ravaudages de son vieil habit. Il épargnait sur tout. Il fallait de l'argent pour le repas de baptême, disait-il. Mais secrètement, Maria Agneta avait acheté à son intention, à un juif qui venait de Pologne et se rendait à la foire de Leipzig, une pièce de velours bleu à un demi-gulden l'aune. Elle voulait qu'il parût aux yeux du monde dans un nouvel habit. Seulement, elle craignait de lui en parler car, lorsqu'elle avait exprimé l'idée qu'un gentilhomme devait soigner sa mise, il avait rétorqué que puisque le premier menuisier, le premier tonnelier venus paradaient en habits de velours et de soie, le gentilhomme, pour s'en distinguer, se devait d'arborer la blouse de coutil.

On jasait dans le village : – Qu'est-ce que ce gentilhomme? Lorsqu'il vend un poulain, un veau ou un agneau, il marchande à l'envi, dispute pour un kreutzer avec le manant sans considérer l'honneur de son rang.

Mais lui riait quand on lui rapportait ces bruits.
– Peu me chaut l'honneur de mon rang! Ce n'est pas d'honneur qu'on engraisse une vache ou une truie.

Il se conduisait néanmoins en officier et c'est en gentilhomme *sans reproche* [1] qu'il lui faisait chaque jour une nouvelle *déclaration d'amour* [1]. Elle aimait qu'il l'appelle « son âme », « son petit ange », « son trésor le plus cher ». Certes, il n'était plus l'aristocrate précieux qu'il avait été, il lui fallait travailler à la sueur de son front pour assurer leur subsistance. A midi il n'avait pas le temps de souper avec sa tendre compagne mais se faisait servir une assiettée de gruau à l'office. Il restait vigilant du matin au soir, ayant l'œil à tout, et avait coutume de dire : « Le maître d'un domaine ne doit rien ignorer du moindre brin de paille qui va au râtelier ni du moindre copeau qui tombe au bûcher. »

Elle désirait ardemment seconder son Christian mais elle avait peine à retenir tout ce qu'il lui enseignait. Elle savait quelle quantité de bûches et de menu bois elle devait rentrer chaque jour, elle savait aussi combien on buvait de pintes de bière le dimanche, quand les domestiques avaient droit à de la viande et quand on devait servir du millet, de la soupe au lait, du gruau ou des boulettes, elle savait aussi que ces boulettes devaient se composer à parts égales de seigle et d'orge. Là ne s'arrêtait pas son savoir et afin de passer le temps, elle murmurait pour elle seule les consignes qu'elle tenait de son Christian :

– L'aubergiste du village doit recevoir chaque mois

1. En français dans le texte.

deux paires de poules et soixante œufs, en contrepartie, sa femme doit tisser onze pièces de lin pour le domaine. Lorsque j'étais enfant on avait joué les *Rois Mages* au village. L'aubergiste tenait le rôle de Balthazar mais il devait également, au début et à la fin de la pièce, interpréter l'un des bergers qui joue de la cornemuse. Comme j'ai ri! Le berger était noir comme du charbon! Car la suie de son visage ne voulait pas partir.

» Le meunier est dispensé de corvée mais il doit engraisser quatre porcs par an... Le forgeron du village reçoit onze guldens pour se fournir en métal, ainsi que huit boisseaux de blé pour l'entretien des instruments aratoires; il a un petit garçon de neuf ans qui actionne pour lui le soufflet... Le meunier ne doit pas toucher aux arbres banaux des prairies : ce sont des ormes et des chênes, et le chêne, selon Christian, est un arbre précieux où l'on peut cueillir jambons et saucisses... Les femmes du village sont tenues d'accomplir les corvées au domaine moyennant le couvert et un kreutzer par jour... Une brebis donne une livre un quart de laine à chaque tonte et un mâle une livre et demie. Le berger – je dois penser à le lui dire demain – doit tenir ses poules chez lui et non dans la bergerie. A chaque tonte une brebis... que se passe-t-il? Je ne vois plus la lune. Le brouillard, sans doute. Les brouillards de mars sont mauvais signe. Christian dit qu'ils apportent la grêle cent jours plus tard. Une heure sonne. Il y a bien longtemps que je n'ai veillé jusqu'à cette heure. Il était une heure quand ils ont conduit Jésus devant

Pilate. Pierre, dans la cour, se réchauffait les mains au-dessus du feu. J'ai froid!

Elle tira la couverture sur ses épaules et, comme elle attendait dans le noir le sommeil qui ne venait pas, la détresse et la peur l'envahirent. Il lui sembla qu'elle était seule dans la chambre; Christian qu'elle aimait était loin, très loin, exposé à un danger extrême, des flammes l'encerclaient et il criait à l'aide. Et elle faillit crier de peur et de désespoir tant cette vision était forte. Elle savait pourtant qu'il était là, près d'elle, et qu'il dormait paisiblement, mais au fond d'elle-même elle pleurait la perte de quelqu'un.

« Que se passe-t-il donc? se demanda-t-elle tout à coup, troublée. Pourquoi cet assaut de mélancolie? Pourquoi? Il est là, près de moi... non, il est loin, très loin, il crie à l'aide et personne ne l'entend. Dieu me pardonne, ce que je dis n'est pas vrai, je ne devrais pas, c'est mal... Que m'arrive-t-il? D'où me vient cette peur? »

Elle s'assit dans son lit, battit le briquet et alluma la lampe de cuivre. La lueur tremblante vint éclairer le visage de l'homme qui dormait à son côté. Elle le regarda reposer, les mains croisées sur la poitrine. La peur persistait. Il lui semblait voir dans ce visage impassible quelque chose d'étranger qu'elle n'avait jamais remarqué jusqu'alors, quelque chose qui venait d'un autre monde, mais elle ne savait dire ce que c'était.

Un frisson la parcourut et elle se mit à pleurer à chaudes larmes.

– Il est là, près de moi, murmura-t-elle. Mais Dieu m'assiste... j'ai cru un instant qu'un étranger partageait ma couche. Comment ai-je pu concevoir une telle pensée? Et pourquoi ces pleurs alors qu'il est là sous mes yeux. Pourquoi? Pourquoi!

Elle examina de nouveau le visage du dormeur afin de trouver l'apaisement, mais plus elle s'attardait à le regarder, plus l'angoisse étreignait son cœur.

Une idée jaillit dans sa détresse. Elle se souvint que Margret, qui avait jadis été cameriste au domaine, lui avait appris comment converser avec les dormeurs. « Fais le signe de la croix au-dessus de lui, avait dit Margret, puis prends son pouce gauche, il sera en ton pouvoir; appelle-le alors en invoquant le Nom de Dieu et demande-lui ce que tu désires savoir. Il te dira la vérité. »

– Ce n'est qu'un jeu, dit-elle dans un souffle. Je suis sotte, pardonne-moi, Christian. Mais je veux juste savoir si c'est vrai et puis, il se trouve que tu dors et que moi, je veille. Elle m'en a conté des fables, cette Margret, avant d'emboîter le pas aux soldats! Il paraît que si l'on se frotte les yeux avec du sang de chauve-souris on voit le diable caracoler à travers les airs, mais ce n'est pas vrai, quelqu'un a essayé qui n'a rien vu du tout. Moi je veux juste tuer le temps, pardonne-moi, Christian, mais je ne parviens pas à trouver le repos et la nuit est encore longue...

D'une main fébrile elle fit le signe de la croix sur le front du dormeur et saisit le pouce de sa main gauche. Puis, le souffle court, elle demanda :

– Qui es-tu ? Dis-moi qui tu es ! Par la toute-puissance divine, réponds !

Le visage du dormeur alors se colora. Sa respiration devint difficile, comme si des pierres empêchaient sa poitrine. Et comme ses lèvres formaient des mots sans qu'aucun son franchît ses dents serrées, on eût dit que deux êtres en lui entraient en lice : l'un voulait parler, avouer, mais l'autre, qui ne voulait pas, finit par l'emporter, et le dormeur ne laissa plus échapper qu'un gémissement.

– Dieu tout-puissant ! s'écria Maria Agneta désespérée en se détournant du visage étranger qui lui devenait insupportable. Si tu n'es pas mon Christian, pourquoi es-tu venu, pourquoi as-tu dit que tu m'aimais ?

Il garda le silence un instant puis la réponse vint, lente, malaisée, comme d'un rêve :

– Par la toute-puissance divine, je suis venu parce que je te chéris depuis fort longtemps. Je n'ai pu m'empêcher de t'aimer dès le premier jour où je t'ai vue...

– Christian ! s'écria-t-elle en tressaillant de joie – car qui pouvait parler ainsi des jours passés sinon lui ?

Elle le regarda : il ouvrit les yeux, passa la main sur son front, et comme il se redressait et lui entourait ses épaules d'un geste encore ensommeillé, elle retrouva le visage familier, et les affres du doute et de la peur s'évanouirent en son âme tout comme un rêve confus vient mourir au bord du réveil.

– Mon petit ange, murmura-t-il. Tu as pleuré. Que s'est-il passé ?

– Ce n'est rien, chuchota-t-elle. Mon bien-aimé, non, ce n'est rien. J'ai pleuré, je ne sais pourquoi : c'est fini. On peut pleurer de bonheur, parfois.

– Dors, m'amie ! lui dit-il. Il est encore tôt, tu dois dormir.

– Oui, fit-elle dans un souffle car le sommeil la gagnait, la fatigue ayant enfin raison d'elle.

Il se détacha de son étreinte et lui lissa son oreiller. Elle s'y laissa retomber, et comme la lueur de la lampe faiblissait, sa main chercha une nouvelle fois la sienne, puis ses yeux se fermèrent.

Ce fut la seule fois où la figure aimée de son enfance émergea du profond d'elle-même. A dater de cette nuit, l'image vraie se fondit avec celle de l'homme dont elle partageait la vie et ne reparut plus.

Le mercredi qui suivit la Pâque, comme elle traversait la place du village pour porter une livre de pain à la vieille messagère qui ne pouvait plus marcher, elle fut prise des premières douleurs. Elle n'eut que le temps de courir à la maison et de mettre un peu d'ordre dans ses cheveux.

On dut aller le chercher aux champs. A peine eut-il mis pied à terre, dans la cour, qu'une voix lui cria que c'était une fille.

Toute la noblesse des environs vint à cheval et

en calèche célébrer le baptême : on vit les Üchtritz, les Dobschütz, les Rottkirch, les Bafron, les Bibran, les Nostitz de Bohême et les sieurs de Tschirnhaus, venus de Saxe électorale.

L'après-dîner, les convives se pressaient encore dans la maison. Les dames consommaient confitures et pâtisseries en buvant de la liqueur dans la salle du bas. Une seule, Barbara von Dobschütz, était restée au chevet de la jeune accouchée. Cette vieille dévote au nez pointu ne parlait guère que de Dieu et des choses de l'Église, mais d'une manière qui lui était propre et sur le ton dont elle gourmandait ses domestiques.

– Je ne sais plus où donner de la tête, ma chère, se plaignait-elle. Le dimanche il faut aller écouter le sermon et chaque semaine observer un jour de pénitence et d'exégèse, il faut faire l'aumône, visiter les malades, accorder une heure de lecture tous les après-dîners : ainsi, cette année, j'ai lu *Le Petit jardin du paradis* et *La Couronne céleste* par trois fois, et ce de bout en bout. *Nom de Dieu!* [1] on veut bien Le satisfaire en tout mais Il a une étrange façon de traiter les Siens! Je suis bien placée pour en parler. Je L'ai prié à genoux de...

Le Cavalier suédois, qui était entré sans bruit, s'avança vers le chevet du lit. Il posa la main sur le petit bonnet de dentelle que Maria Agneta portait sur ses boucles brunes et dit tout bas :

– Mon ange, m'amie, je suis venu te voir, toi et

1. En français dans le texte.

ce précieux trésor. Tes joues sont un peu pâles mais tu es belle comme un jour d'été.

– ...je L'ai prié à genoux de m'épargner les rhumatismes cette année, reprit dame Dobschütz. Tenez-vous bien, les rhumatismes ont disparu mais j'ai à présent une céphalée qui ne me laisse pas de répit. Si vous saviez, ma chère, ce que j'endure.

Le Cavalier suédois se pencha sur le berceau.

– Petite âme que Dieu me confie, précieuse entre toutes, murmura-t-il. Ses poings sont fermés, elle dort...

Et il quitta la pièce aussi silencieusement qu'il était entré, en prenant soin de refermer la porte derrière lui.

– S'Il fait subir le même traitement aux autres, soupira dame Dobschütz, qui parlait toujours de Dieu, qu'Il n'aille pas s'étonner si toutes les églises se vident...

Dans la grand-salle, les messieurs étaient attablés devant des cruches de vin et des bouteilles de rosoglio, de bitter espagnol et d'eau-de-vie de Dantzig.

Le Cavalier suédois se tenait à l'écart, dans l'embrasure d'une fenêtre, en compagnie de Melchior Bafron qu'on tenait pour le meilleur agriculteur de toute la Silésie. Leur conversation roulait sur la diversité des sols, le rendement des prairies, le champart, les soins à donner aux veaux, la difficulté d'engraisser les porcs avec profit.

– Pour ma part, j'ai toujours privilégié l'élevage bovin, conseillait Melchior Bafron. La truie cause bien des dégâts et n'est d'aucun profit avant que d'orner l'étal du boucher. En revanche, frère, prenez la vache...

Le maître de maison ne partageait pas complètement l'avis de son invité.

– Tout bétail cause des dégâts pour peu que les soins laissent à désirer, fit-il. Il ne faut pas hésiter à donner à la truie douze boisseaux de céréales ordinaires et ce, durant douze semaines. Et puis, ce que je retire de la vente du lard agrémente sensiblement mes livres de comptes...

Pendant ce temps, autour de la table, on s'entretenait de la situation présente, des rumeurs de la guerre et de l'imminence de l'invasion ennemie. On assurait que le jeune roi de Suède, qui occupait alors la Pologne, s'apprêtait à traverser la Silésie pour porter la guerre du côté de la Saxe électorale.

– Si tel est le cas, la famine et les épidémies ne tarderont pas à ravager le pays, soupira le baron von Bibran. Le passage des troupes étrangères entraîne inévitablement ces maux.

– L'enchérissement des céréales et du bétail ne serait pas un mal, lança messire von Dobschütz. Le roi de Suède est bon payeur.

– Bon payeur, certes, mais en paroles d'évangile, fit en riant le vieux Tschirnhaus.

– Même si la Pologne et la Saxe accouplent leurs bœufs à la même charrue, s'écria le jeune Hans Üchtritz en levant son verre d'un geste enthousiaste, elles ne résisteront pas au Lion du Nord. Il a conduit le roi de Danemark à signer un accord et saura bien faire plier le prince électeur.

– Trinquons, Hans! fit la voix de basse de messire von Nostitz, lequel était son parent par alliance. A ta santé, Hans! Mais je te le dis tout net : si j'étais le roi de Pologne, je préférerais avoir le diable pour voisin en lieu et place de Charles de Suède. Car on peut toujours conjurer le diable.

– Tais-toi! siffla son cousin Georg von Rottkirch qui était son vis-à-vis. As-tu oublié qui nous reçoit? Il est Suédois par la naissance. Il prendra parti pour son roi. Cherches-tu la querelle?

– Je n'ai rien dit, protesta le sieur von Nostitz qui aimait vivre en bonne intelligence avec tout le monde. On peut conjurer le diable mais non un mauvais voisin. Je n'ai rien dit de plus. Loin de moi la pensée de chercher querelle.

– Les courriers qui font halte chez nous pour changer de chevaux relatent toutes sortes de choses, raconta le jeune Tschirnhaus. Le roi de Suéde exigerait de la noblesse le double de chevaux et enrôlerait d'office le septième fils des paysans. Ils disent aussi qu'il veut porter la guerre jusque chez les Samoyèdes qui vivent dans les neiges d'au-delà de Moscou.

– Il fera la guerre... tant qu'il trouvera des gens qui accepteront de la faire, objecta le baron von Bibran.

– Je vois en lui le héros évangélique, le prodige des temps présents, exemple pour les temps à venir...

Le jeune Üchtritz, à qui le vin montait à la tête, avait parlé d'une voix si forte que le lustre de cuivre se mit à trembler au-dessus de la table.

– Je lève mon verre à la victoire du roi de Suède et à sa gloire éternelle, ajouta-t-il.

Les hommes, contrariés, songeaient chacun à part soi à le ramener à la raison, et ne levèrent leur verre que par courtoisie envers le maître de céans. Dans le silence qui suivit, on entendit seulement la voix du Cavalier suédois, toujours en conversation avec Bafron :

– Contre la colique je donne aux porcelets de la brique pilée dans un peu d'huile...

Le jeune Üchtritz reposa son verre sans souffler mot. Le sieur von Nostitz se renversa en arrière sur sa chaise et rit d'un rire si fort que sa perruque en trembla. Au même instant la porte s'ouvrit et un valet, qu'on avait revêtu d'une livrée pour la circonstance, annonça un invité tardif, le baron von Lilgenau.

L'assemblée se leva vivement et se pressa autour du nouveau venu. Dans un premier temps, personne ne parvint à s'entendre dans la confusion. Mais la voix de basse du sieur von Nostitz ne tarda pas à dominer les autres.

– Hans Georg! Mon ami, mon frère! D'où viens-tu? Voici un an que je ne t'ai vu.

Le Cavalier suédois s'était levé.

– J'ignorais tout des fiançailles et du mariage, fit le nouveau venu. Mais je passais par ici, et l'on me crie qu'on célèbre un baptême. J'ai mis pied à terre aussitôt, gravi l'escalier quatre à quatre. Tornefeld? Il faut que je le voie. J'ai bien connu son père.

Le Cavalier suédois sentit une main glacée lui

étreindre le cœur. Tout se mit à tournoyer dans la pièce : les murs, l'assistance, les cruches de vin, la table. Il entendit comme dans un rêve la voix du sieur von Nostitz qui disait :

– Messire von Tornefeld, voici Hans Georg Lilgenau, capitaine des dragons. Il est de mes amis, et se trouve très désireux de faire votre connaissance. C'est un cousin des Lilgenau de Mankerwitz.

– Soyez le bienvenu, messire, murmura le Cavalier suédois.

Le sol se dérobait sous lui, les verres dansaient, le lustre se balançait; il lui fallait se faire violence pour se maintenir debout. En cet instant ses pensées allèrent à Maria Agneta qui était couchée là-bas, dans sa chambre. Fini! Tout était fini... C'était la deuxième fois qu'il se trouvait confronté, dans cette maison, au baron Maléfice!

– J'ai bien connu le colonel, votre père – la voix de son ennemi mortel résonnait étrangement à son oreille. A Saverne j'ai eu l'honneur de combattre sous ses ordres, ajouta le baron.

Saverne? Est-ce là un piège? pensa-t-il l'espace d'un éclair. Saverne! Saverne! Où ai-je entendu ce nom? Un jour, au moulin, l'autre avait dit : « Que sais-tu de Saverne, frère?... »

– Oui, fit le Cavalier suédois qui reprit sa respiration. Mon père m'a maintes fois conté cette bataille... les canons, les éclairs, les cris... les offensives et les retraites... les rangs qui se refont pour un nouvel assaut – tels étaient ses mots, je crois. Et c'est au cours de cette bataille qu'il perdit un bras.

Le baron Maléfice le dévisagea longuement, attentivement.

– Votre ressemblance avec messire votre père est à peine croyable! fit-il.

Et la fête reprit son cours.

Chaque année, lorsque la récolte avait été bonne, le Cavalier suédois achetait aux voisins quelques arpents de terre qui venaient grossir ses trois charrues. Tantôt il acquérait un bout de champ, tantôt une prairie; cinq années à présent s'étaient écoulées, et il avait reconquis toutes les terres que l'ancien intendant avait dilapidées. Il ne s'attardait jamais à table ni au coin de la cheminée. En toute saison il était aux champs dès l'angélus, et les valets moissonnaient, fauchaient, liaient les bottes, épandaient le fumier et creusaient les sillons sous sa surveillance.

La culture des terres nourrissait maîtres et domestiques, l'élevage du bétail prospérait, l'affouage était de bon rapport. Les celliers regorgeaient de tout ce qui est nécessaire à une grande maison. La remise était pleine de traîneaux, grands et petits, de coupés et de calèches, et à toute heure, voitures de poste, ordonnances et courriers qui faisaient halte au domaine étaient sûrs de trouver des chevaux frais. On venait de loin admirer les béliers espagnols de la bergerie...

Mais parfois, lorsque le Cavalier suédois chevauchait à travers champs et mesurait du regard l'étendue de ses terres, une ombre passait sur son âme, tel le vent froid de la nuit : il avait le sentiment que ce qu'il nommait son bien, les champs, les pâtures, les prairies où les bouleaux jetaient leur note claire, les blés qui levaient, la rivière serpentant à travers les herbages et, là-bas, la maison, le domaine, la femme qu'il aimait et l'enfant pour lequel il tremblait – tout cela ne lui appartenait pas en propre : on le lui avait confié pour un temps... et il devrait le rendre. Et plus le soleil rayonnait alentour, plus la nuit s'épaississait en lui. Il faisait alors demi-tour et rentrait comme poussé par un vent mauvais. Dans la cour, les sabots de son cheval faisaient crisser et voler le gravier. L'enfant, du jardin, s'élançait alors à sa rencontre, Maria Agneta qui venait derrière elle la saisissait alors et, le visage radieux, la soulevait jusqu'à lui pour qu'il la prît dans ses bras et la câlinât.

Dès qu'il sentait le corps frémissant de la fillette dans ses bras, les ombres s'estompaient en lui.

Il aimait Maria Agneta, sa femme, comme au premier jour – le temps qui détruit toute chose n'altérait pas cet amour. Mais le sentiment qu'il vouait à l'enfant était plus ardent encore, et plein d'une douloureuse inquiétude. C'est d'abord elle que son regard cherchait lorsqu'il rentrait. Une joie indéfectible brillait dans ses yeux dès qu'il la voyait. Lorsqu'il avait passé toute la journée aux champs et qu'il rentrait tard, il lui arrivait de se glisser au chevet de la petite Maria Christine, et il restait là, assis, à écouter sa respiration. Son regard, malgré lui, s'immisçait dans le rêve de l'enfant qui s'éveillait alors : son petit visage se froissait, elle allait pleurer mais, se redressant, elle reconnaissait son père et jetait soudain ses bras autour de son cou. Pour se libérer il devait chanter des comptines, toujours les mêmes car il n'en gardait que quelques-unes en mémoire : celle du loup qui faisait maigre la nuit, celle des petits anges et de leur cortège... Le tailleur attendait aux portes du ciel, le mendiant fêtait ses noces, il y avait aussi la petite poule qui ne voulait pas pondre – « Tuez la petite poule ! Tuez-la bien ! Elle ne veut pas pondre et mange mon pain ! » chantait le Cavalier suédois : la petite poule voletait alors sur le bord du lit où elle cherchait à picorer des miettes... le loup qui jeûnait ne s'en souciait guère et reposait paresseusement aux pieds de l'enfant... le tailleur dansait avec le mendiant parmi les chaises... Hérode regardait par la fenêtre – il venait du chant des trois Rois Mages, celui que préférait l'enfant, et qu'elle chantait souvent elle-même de sa voix fluette :

Gaspard, Balthazar, doux Melchior !
Hérode a une barbe d'or...

Le Cavalier suédois l'accompagnait alors de sa voix grave et leur duo était si doux que personne ne l'entendait dans la maison :

Ils vont sur les chevaux du vent,
Cinq cents lieues, sept heures durant,

Mais voici la maison du roi,
Hérode, penché, les voit.
Gaspard, Balthazar, doux Melchior,
Où allez-vous quand tout dort?
Nos coursiers volent dans le vent,
Nous cherchons Marie et l'enfant.
Gaspard, Balthazar, Melchior ami,
Restez, buvez de mon eau-de-vie!
Nous devons aller sans tarder
A Bethléem où l'enfant est né...

– ...« Et nous perdre dans ton visage », concluait la voix fluette de l'enfant qui se trompait de chant. Le sommeil venait alors qui troublait tout. Ses paupières se faisaient lourdes. Et le cavalier repartait aussi silencieusement qu'il était venu, suivi du loup, de la petite poule, du tailleur et du mendiant qui avaient peuplé furtivement la chambre. Hérode à la barbe d'or fermait le cortège.

C'était un jour de mars, en cette saison où le fil casse à la quenouille, ce qui signifie dans la langue des paysans que les travaux des champs vont reprendre. Le crépuscule tombait, des nuages lourds de neige glissaient dans le ciel et des corneilles craillaient dans les érables nus. Le Cavalier suédois arpentait la grand-salle du haut. Maria Agneta, assise au coin du feu, contemplait les estampes d'un livre intitulé *Le Nouveau jardin du Monde d'Amaranthus*, et la lueur des flammes mettait un reflet roux dans ses cheveux bruns. Non loin de la fenêtre, Maria Christine ânonnait solennellement sous l'égide du maître d'école, mais elle avait peine à détacher ses yeux du coin de la pièce où étaient son cheval de bois et sa carriole. Entre la porte et la table, deux villageois attendaient, le bonnet à la main. L'un d'eux était un paysan qui venait demander de la semence, l'autre, le charpentier que le Cavalier suédois avait mandé car il voulait construire un nouveau fenil au-dessus de son écurie. Le charpentier calculait mentalement quel salaire et quelle quantité de vin, de viande, de fromage et de pain il devait demander pour lui et ses aides. Pour la deuxième fois le paysan débita sa litanie :

– J'ai une grande faveur à vous demander, Votre Grâce, car il est temps d'aller aux champs semer le seigle.

Le Cavalier suédois cessa d'arpenter la salle et vint se camper devant l'homme :

– Chaque année tu viens quémander du pain et de la semence, tonna-t-il. Ton champ pourrait te nourrir, toi et ta vache, et te fournir de surcroît de la semence pour la saison à venir. Mais au lieu de faire fructifier ton bien, que fais-tu? Dès le matin tu hantes la taverne, quand tu ne t'endors pas derrière ton poêle. Ce n'est pas ainsi qu'on prospère. L'aubergiste étanche ta soif, et je devrais assouvir ta faim!

Le paysan savait qu'il fallait laisser passer cet orage s'il voulait obtenir son demi-boisseau de semences. Les épaules rentrées, il essuya la pluie de réprimandes, tout en tournant son bonnet de lapin entre ses mains; puis il reprit de plus belle :

– Un vieil usage veut que le maître du domaine prête une oreille bienveillante au paysan et reçoive chrétiennement sa requête. C'est pourquoi j'ose demander cette importante faveur à mon gracieux maître : en lui rappelant qu'il s'agit là d'une semence que je veux seulement lui emprunter.

– En voilà un autre qui passe!... soupira à cet instant Maria Agneta – elle avait posé le livre aux estampes en raison de l'obscurité et s'était approchée de la fenêtre. C'est la troisième fois cette semaine. Pour l'amour de Dieu, pourquoi toutes ces morts, là-bas? L'évêque n'a-t-il point de cimetière sur ses terres?

– Non, répondit le maître d'école. Il n'a que des forges et des fonderies, et beaucoup de carrières et de minières. La carrière de Saint-Matthieu est la plus importante. Celle de Saint-Laurent est surnommée le « couloir des pauvres âmes ». Les gens ont le droit de mourir sur les terres de l'évêché mais le bailli les fait enterrer dans les villages alentour.

Dehors, dans la lumière blême du jour finissant, une humble procession descendait la colline et s'engageait sur la grand-route. En tête marchait un homme portant une croix, un vieux prêtre suivait. Derrière venait une vieille rosse tirant la charrette où reposait le cercueil. C'était là tout le cortège.

– On dit, conta le charpentier, que le prince-évêque

veut aménager un nouveau jardin d'agrément dans sa résidence de Franconie, avec bassins et cascades, grottes, jeux d'eau, pavillons chinois. Ainsi qu'une orangerie! Or à l'évêché, la chambre des comptes ne peut pourvoir à la dépense. Aussi a-t-on envoyé là un nouveau bailli, lequel a pris des mesures draconiennes, supprimant le saindoux et réduisant la ration de pain à une demi-livre sans pour autant diminuer le travail.

– L'évêque ignore peut-être ce qui se passe chez lui, il faudrait le lui dire, suggéra Maria Agneta.

– Il le sait parfaitement, répondit le maître d'école. Ce n'est pas sans raison qu'on le nomme « l'Ambassadeur du diable » dans le pays. Il règne en despote et veut surpasser tous les princes temporels en luxe et magnificence, il n'est bailli ou porion qui soit assez féroce à son goût.

Debout à la fenêtre, le Cavalier suédois se taisait tout en suivant des yeux la lente progression du convoi et le prêtre qui ouvrait la marche.

– La guerre fait rage alentour, reprit le maître d'école, c'est une période bénie pour l'évêché. Charles de Suède et le tsar moscovite ont tous deux besoin d'artillerie lourde et légère, de canons, de mousquets, de cuirasses et de lames de sabres. Les cheminées vont bon train, le fer rougit dans les fourneaux. On achemine chaque jour des cargaisons entières de métal vers la Pologne.

– L'évêché, c'est l'auberge des perdus et des damnés, fit à voix basse le paysan qui se tenait près de la porte. La mort seule vient les délivrer!

Sous l'emprise du souvenir qui faisait brutalement irruption en lui, le Cavalier suédois se mit soudain à parler :

– Ce sont les chaufours qui exigent le travail le plus pénible, dit-il. Les casseurs de pierres actionnent un pesant levier pour desceller la roche qu'ils brisent ensuite à mains nues; puis viennent ceux qui la fracassent à coups de carrier. Jour après jour ils avalent la poussière, et au bout de quelques années crachent le sang et dépérissent rapidement. Dieu les prenne en pitié, eux et leurs frères enchaînés aux charrettes qui transportent la pierre concassée jusqu'au four et repartent avec la chaux vive. Le chaufour avec ses cinq gueules qui vomissent le feu...

– Mais comment sais-tu tout cela, mon Christian? s'étonna Maria Agneta. Tu parles comme si tu avais toute ta vie cassé la pierre de tes mains dans l'enfer de l'évêque...

– Lorsque je sillonnais les routes à cheval, j'ai rencontré bien des vagants, de pauvres maraudeurs aussi qui tous m'ont parlé de l'enfer de l'évêque, répondit le Cavalier suédois.

Puis il poursuivit :

– Devant le four à chaux se trouve le four à bois, dont les deux ouvertures crachent des flammes. Dans l'une on jette le bois, de l'autre on extrait les résidus incandescents. Trois hommes s'y affairent : le chauffeur, celui qui attise et celui qui défourne. Le second doit alimenter le four progressivement, il doit d'abord jeter des copeaux, puis des fagots et pour finir du bois fendu qu'il répartit au moyen d'un tisonnier.

Le troisième défourne les braises et doit supporter l'ardeur de la fournaise. Car il arrive que le vent souffle et que l'haleine embrasée du four lui grille le visage et les cheveux : on l'entend alors hurler à la ronde. Le chauffeur, lui, gouverne le feu. La flamme est d'abord presque noire de fumée, puis sa couleur change : elle devient carmin, violette, puis bleue et finalement blanche. La flamme blanche et la belle teinte rosée de la pierre sont signe que le travail est bien fait. Le chauffeur doit garder son œil rivé au judas. Car si le feu prend mal ou vient à s'éteindre, l'ouvrage est gâché... et une volée de bâtons s'abat alors sur le chauffeur et ses compagnons. Mais le pire, c'est l'hiver, lorsque les trois préposés aux fourneaux s'activent près du gueulard brûlant et qu'ils sortent inondés de sueur dans l'air glacé : la mort alors les passe en revue. A celui qu'elle désigne, à celui qui a la fièvre aux joues et dont la poitrine brûle à chaque respiration, on dit alors : « Ne reste pas en travers du chemin! Qui a besoin de toi? Si tu es malade, étends-toi, rends ton dernier souffle et meurs, tu n'es plus utile à personne... »

Il se tut. Maria Agneta alluma la lampe. La petite Maria Christine s'était dérobée à son syllabaire pour rejoindre ses jouets, et on l'entendait exulter doucement en lançant au cheval de bois son huhau impérieux. La charrette au cercueil passait maintenant devant la maison...

Le Cavalier suédois inclina la tête et ses lèvres murmurèrent une prière silencieuse.

– Avec qui parles-tu, père ? s'écria Maria Christine du coin où elle jouait. Je te vois parler mais je n'entends rien.

– Je dis un Notre Père pour l'âme d'un pauvre homme, fit le Cavalier suédois. Quelque fleur noble, peut-être, et trop tôt fanée. Viens prier avec moi !

Il prit l'enfant dans ses bras et retourna à la fenêtre. Dès qu'elle aperçut la carriole tirée par le vieux cheval, Maria Christine jeta les bras en l'air et recommença ses huhau endiablés.

Le Cavalier suédois plissa le front.

– Ce n'est pas le moment ! dit-il. Je t'ai demandé de dire un Notre Père pour l'âme d'un pauvre homme. As-tu entendu ?

Il y avait dans la voix du père une inflexion inhabituelle qui effraya l'enfant. Elle lui mit craintivement les bras autour du cou et, tout en contenant ses larmes, elle répéta après lui les paroles du Notre Père, tandis que la charrette mortuaire disparaissait dans le crépuscule.

Un jour, vers midi, alors que le Cavalier suédois venait de quitter le fenil où les travaux s'achevaient et qu'il traversait la cour, le ciseau de menuisier à la main, il aperçut deux hommes près du portail. La peur le saisit, son cœur se mit à battre à tout rompre mais il ne laissa rien paraître ; le visage impassible, il s'apprêtait à passer son chemin. Seul le hasard avait pu les conduire au domaine, pensait-il, et puis comment le reconnaîtraient-ils? Six années s'étaient écoulées depuis qu'ils s'étaient vus pour la dernière fois. Mais déjà ils s'avançaient vers lui. Veiland ôta vivement sa calotte de cuir tandis que le Torcol balayait la terre de son chapeau en riant dans sa barbe :

– Peste, capitaine! Tu te pavanes en vrai seigneur. L'empereur du Saint Empire ne marcherait pas plus noblement. Tu ne reconnais plus tes vieux compagnons?

– Vois comme il se pâme de joie, marmonna Veiland. Je te l'avais bien dit : les importuns sont comme la potée sans lard, personne n'en veut. Non, capitaine, je ne pensais certes pas que tu courrais chez le boucher du coin faire tuer pour nous le veau gras. Mais si tu voulais bien nous offrir le gîte pour la nuit, dans ton écurie ou ton cellier, je m'estimerais heureux.

– Eh bien pas moi, s'insurgea le Torcol. C'est tout de même notre ancien capitaine. Serions-nous tombés en disgrâce? Je reste avec toi, capitaine, et si tu as besoin de quelqu'un pour te souhaiter le bonjour et te demander : « Votre Grâce a-t-elle bien dormi? » je serai ton homme et remplirai assidûment mon office.

Le Cavalier suédois gardait le silence mais le violent tourbillon de ses pensées commençait à s'apaiser. Ainsi le destin le livrait à ses anciens compagnons, lesquels étaient devenus ses ennemis mortels! Il ne lui restait plus qu'à quitter secrètement la maison, le domaine, sa femme et son enfant, qu'à abandonner champs et prairies pour aller se cacher en terre étrangère et oublier là-bas tout ce qui lui était cher. Il donna libre cours à la peur mêlée de colère et de désespoir qui l'assaillait :

– Canailles que vous êtes ! fit-il d'une voix étouffée. Vous ne pouvez pas me laisser vivre en paix ? Je pensais que le diable vous avait emportés depuis longtemps. Qu'ai-je à voir avec vous ?

– Que voilà des manières peu civiles ! railla le Torcol en manière de reproche. Une canaille, moi, qui ai toujours été ton fidèle compagnon ! J'ai cru dur comme fer que tu nous accueillerais à bras ouverts. Peux-tu tolérer que nous soyons dans la misère ?

– Et les thalers, les ducats dont je vous ai couverts, murmura le Cavalier suédois, où sont-ils ?

– Ils nous ont désaltérés un moment, répondit le Torcol.

– Les femmes, les dés, les tavernes, voilà les trois grands maux, capitaine ! soupira Veiland. J'aurais dû, comme c'est l'usage, jeter quelques pièces dans l'eau des ruisseaux : le diable jaloux en aurait eu sa part mais n'aurait pas tout pris. Quand la bière coule à flots, l'enfer ouvre boutique...

– Une fois les poches vides et l'estomac dans les talons, conclut le Torcol, nous avons repris la besace et le bâton, et nous sommes redevenus vagants.

Le Cavalier suédois regardait fixement devant lui ; il respirait vite et dans ses yeux brillait une lueur inquiétante. Non, pour rien au monde il ne partirait, il n'avait pas le droit de quitter la maison, la ferme : il devait rester, retenir à deux mains ce qu'il avait arraché au ciel et à la terre. Ces deux-là venaient contrecarrer sa fortune; s'il leur arrivait malheur, ils l'auraient bien cherché – qui leur avait demandé de venir? Il devait les réduire au silence. A cette pensée, ses bras se raidirent et le ciseau de fer pesa plus lourd dans sa main.

– Qui vous a indiqué le domaine? demanda-t-il. Comment saviez-vous que vous me trouveriez ici?

– Le Brabançon nous l'a dit, expliqua le Torcol. Il est devenu marchand à Ratibor où il fait commerce de bois de teinture et d'épices : cannelle, gingembre, noix de muscade, clous de girofle et poivre abondent chez lui. Il jouit d'une haute considération dans la ville, il siège même au conseil : tu devrais voir les honneurs qu'on lui fait! La première fois que nous nous sommes revus il a chassé tout son monde de la pièce et s'est empressé de fermer la porte pour mieux nous fêter. Il fallait voir le vin couler à flots, le gibier, la volaille dont il nous a régalés! Et au moment de prendre congé il nous a gratifiés par-dessus le marché de dix thalers d'empire, qu'il nous a recommandé de boire à sa santé. La deuxième fois, il s'est fait quelque peu tirer l'oreille, et c'est après moult circonvolutions qu'il nous a jeté un gulden. Mais la troisième fois, il a explosé : « Encore vous! Ma parole, vous me suivez comme mon ombre! De l'argent, toujours de l'argent! Vous voulez ma ruine? Allez donc solliciter notre ancien capitaine, il est devenu hobereau et vit de ses terres, vous trouverez là-bas tout ce qu'il vous faut. » C'est alors qu'il nous a dit où tu demeurais.

– Le diable le lui rende! fit le Cavalier suédois entre ses dents. Et comment l'a-t-il su? Je ne l'ai pas claironné.

– Il t'a vu à Oppeln, à la foire aux chevaux, il y a six mois ou un an, répondit le Torcol. Il t'a aperçu alors qu'il buvait tranquillement sa bière à la Couronne d'Or, tu traversais la place en marchant bras dessus bras dessous avec les notables du coin. Il t'a reconnu aussitôt : il a pris l'aubergiste à part et lui a demandé qui tu étais et où tu demeurais. L'autre a bien voulu le lui dire, et a même précisé que tu étais le meilleur éleveur de chevaux de la région.

Le Cavalier suédois était résolu à présent.

Ils avaient été ses fidèles compagnons, ensemble ils avaient traversé maints dangers mais à cette heure, la peur et la colère l'emportaient. Ainsi, ils étaient trois à s'être immiscés dans son existence : il devait les faire disparaître à jamais. Il commencerait par ces deux-là, puis viendrait le tour du Brabançon. Il connaissait un endroit désert non loin de la ferme. C'est là qu'il agirait, dans l'encaissement où la rivière serpente entre les saules buissonnants.

« Pour l'instant ils sont trois à connaître mon passé, fit-il à part soi, mais si je n'y prends garde, ils seront bientôt cent. »

– Que chantes-tu là? s'écria le Torcol qui avait perçu les derniers mots prononcés. Je réponds du Brabançon comme de moi. Tous les exécuteurs du

Saint Empire lui déchireraient le cuir qu'il ne te trahirait pas.

– Soit, je veux bien te croire, convint le Cavalier suédois qui fit mine d'être rassuré. Écoutez : j'ai enterré mon or dans un endroit sûr, à deux pas. Je vais le partager avec vous au nom de la vieille amitié qui nous unit. Ne devons-nous pas nous tenir soudés telles les feuilles du trèfle ? Prenez cette pelle et cette pioche et suivez-moi !

Il désigna les outils de jardin posés contre le mur. Veiland, étonné, posa sur lui un regard pensif et ne bougea pas. Mais le Torcol jeta son chapeau en l'air en chantant d'allégresse :

– Alléluia ! Gloire et honneur à toi, et sois remercié : nous voici tirés d'embarras. Longue vie et prospérité à notre capitaine !

Le Cavalier suédois leur fit signe de le suivre avec la pioche et la pelle. Comme il se retournait il vit la petite Maria Christine qui s'était approchée sans bruit et le tirait par sa redingote.

– Père, le gourmanda-t-elle de sa voix fluette. Pourquoi ne viens-tu pas ? C'est mère qui m'envoie, la soupe refroidit.

– Mademoiselle est donc la fille de notre gracieux maître ? s'enquit humblement le Torcol, soucieux de ne rien laisser paraître de leur intimité.

– Oui, répondit le Cavalier suédois, c'est ma petite fille.

Maria Christine considéra posément les deux vagabonds puis, tirant de nouveau sur la redingote de son père :

– Qui sont ces gens, père? Sont-ils gentils? Je ne les connais pas.

– Ils viennent chercher du travail au domaine, expliqua le Cavalier suédois.

Le Torcol, accroupi devant l'enfant de son ancien capitaine, se mit à converser avec elle.

– Dis-moi, petite princesse, fit-il, tes joues resplendissent comme la plus belle des tulipes, dis-moi, que sais-tu faire outre sauter d'un pied sur l'autre?

– Je sais lire dans mon syllabaire, fit Maria Christine en grimpant sur une pierre pour paraître plus grande. Je sais danser la courante et la sarabande et jouer du clavicorde, mais juste un peu, je commence seulement. Et toi que sais-tu faire?

– J'ai plus d'un tour dans mon sac, se vanta le Torcol. Je sais chercher les puces du hérisson, ferrer une oie, faire des petits tabliers aux sauterelles, et je n'ai qu'à siffler pour que les poissons bondissent en rangs de leur vivier.

Maria Christine, bouche bée, considérait le Torcol. Puis elle montra Veiland.

– Et celui-là, que sait-il faire?

– Celui-là sait faire disparaître un chapelet de saucisses en un clin d'œil, voilà où il excelle, fit le Torcol en riant. Mais il sait aussi braire comme un âne, siffler comme une oie, et imiter avec sa bouche le chat et le chien qui se battent.

– Alors, qu'il me montre, demanda Maria Christine, qu'il fasse le chat et le chien.

Veiland ne se fit pas prier davantage. Il se mit à ronronner, à japper; il cracha, grogna, poussa des aboiements sonores que ponctuaient les feulements furieux du chat revenant à la charge... et comme le chien battait en retraite en gémissant, Maria Christine, enchantée, frappa dans ses mains et, dansant d'un pied sur l'autre, s'écria :

– Ne partez pas, non ! je ne vous laisserai pas partir : on aurait dit un vrai chat et un vrai chien. Vous allez rester à la ferme, je vous le demande ! Et n'oubliez pas, on sert à manger à midi et à six heures, c'est la règle pour nos gens : celui qui ne présente pas son cruchon à temps est privé de bière !

Le Cavalier suédois constatait avec étonnement qu'une amitié complice existait déjà entre son enfant et ses compagnons en guenilles. Il respira. Ces deux compères qui faisaient rire Maria Christine avec leurs facéties ne le trahiraient pas. Il en était sûr. A présent il voyait ses compagnons d'infortune sous leur vrai jour : ils étaient venus en pitoyables vagants, non pour briser sa fortune mais parce que, las de quémander à toutes les portes, ils espéraient connaître chez lui un sort meilleur. Et les pensées de meurtre qui l'habitaient s'évanouirent, dissipées par un rire d'enfant.

– Puisque ma fille vous accueille au domaine, dit-il, restez, je pense également qu'il vaut mieux que vous soyez près de moi plutôt qu'au loin. Allez aux cuisines et demandez votre part de soupe au lard. Nous verrons ensuite quel travail convient à chacun. La tonte va commencer, il est temps de semer l'avoine et d'épierrer les champs, et le verger aura bientôt besoin d'un œil vigilant. Pour l'instant : serviteur !...

Et foin de l'histoire ancienne qui ne mène nulle part...

Il s'éloigna, suivi de Maria Christine qui sautillait à ses côtés. Les deux nouveaux valets le virent bientôt disparaître dans la maison. Le Torcol dit alors avec un soupir :

– Tu as vu? L'or qu'il voulait partager nous a passé sous le nez. La cruche s'est brisée avant d'atteindre la fontaine. Il était dit que nous resterions pauvres.

Veiland, qui entendait un cheval hennir à trois lieues et tous les coqs chanter à moins de deux lieues, secoua la tête :

– Pour moi, je préfère qu'il en soit ainsi, avoua-t-il. Lorsqu'il a parlé de son or et qu'il nous a demandé de le suivre, je ne sais ce qui m'a pris, mais j'ai senti mes jambes se dérober. Désormais, pour la soupe du soir, je m'échinerai tout le jour à épierrer ses champs, mais, pardieu, je ne saurais dire pourquoi... je préfère qu'il en soit ainsi.

Il était rare qu'on les vît ensemble car le Torcol, affecté à l'écurie, avait pour tâche de manier l'étrille et la brosse tandis que Veiland labourait, semait et passait la herse dans les champs. Mais ils restaient camarades et tous les soirs, ils se retrouvaient à l'écurie pour jouer aux cartes et boire leur pinte de vin. Ils étaient d'accord sur tout. Ils ne fréquentaient guère les autres domestiques, mais dès que le Torcol apercevait Maria Christine, il sifflait pour qu'elle vînt le rejoindre à l'écurie où son coffre de bois recélait toujours quelque présent. Tantôt c'était un flûteau de jonc, tantôt un petit singe articulé qu'il avait taillé dans un chevron et peint de couleurs vives.

Ils veillaient à éviter le Cavalier suédois qu'ils ne considéraient plus comme l'un des leurs mais comme le hobereau dont il pouvait craindre les revirements. S'il venait à visiter l'écurie ou à croiser leur chemin, ils se mettaient au garde-à-vous et leur attitude, non plus que leurs paroles, ne laissait en rien deviner qu'ils partageaient avec lui un secret.

Ils vécurent ainsi une année durant, jusqu'au soir où la foudre s'abattit qui devait réduire à néant la fortune du Cavalier suédois...

Ce soir-là, le maître du domaine recevait quelques gentilshommes de la ville voisine. Il avait quitté la table un peu plus tard qu'à l'accoutumée et venait de sortir faire sa ronde après avoir présenté ses excuses à la société. Comme il passait le seuil de la maison afin d'inspecter le temps, il se trouva nez à nez avec le Torcol; celui-ci voulait visiblement lui parler mais ne savait par quel bout commencer. Le Cavalier suédois qui n'avait pas de temps à perdre le rudoya :

– Que veux-tu? N'as-tu point reçu ton content?

– Pour sûr, Votre Grâce, reconnut le Torcol. A midi il y avait du millet et du cervelas et ce soir une soupe à la bière avec du pain et du fromage. Mais avec tout le respect que je vous dois, c'est d'autre chose que je veux vous entretenir. Il y a là quelqu'un qui désire, en toute modestie, parler à Votre Grâce. Je le connais, je sais aussi que Votre Grâce le connaît. Il est arrivé en calèche, il attend dehors. M'est avis que c'est mauvais signe.

– Qui est-ce? Parle, diable! je suis pressé, fit le Cavalier suédois.

– Il faisait noir, je ne l'ai pas reconnu, mentit le Torcol. Votre Grâce verra elle-même de qui il s'agit.

Le Cavalier suédois baissa la voix et siffla entre ses dents :

– Parleras-tu, drôle? Est-ce le baron Maléfice?

– Dieu m'assiste, non! ce n'est pas lui, repartit le Torcol qui baissa la voix à son tour. C'est le Brabançon... pour servir Votre Grâce. Je ne voulais pas le dire car il m'est défendu d'évoquer l'histoire ancienne, qui incommode Votre Grâce.

Le Cavalier suédois eut un geste d'impatience. Il tourna les talons et se dirigea vers le portail. Le Brabançon alors sortit de l'ombre et se tint sous la lanterne éclairant la cour. L'ancien larron était méconnaissable. C'était là un homme conscient de sa valeur et du crédit dont il jouissait dans le monde. Il portait des bas de soie, des culottes de velours cerise, une camisole noire richement brodée d'argent, une épée au côté et, autour du cou, une chaîne d'or retenant un lorgnon. Ses gestes étaient mesurés et de toute sa personne émanait une dignité tranquille que rien ne semblait devoir ébranler.

– Je te souhaite le bonsoir! fit-il. Tu me regardes

comme si j'étais une apparition. Sans doute ne pensais-tu pas que nous nous reverrions?

– Ton amitié n'est pas de celles qui se perdent... repartit non sans ironie le Cavalier suédois. Mais venons-en au fait! Quel vent t'amène? Viens-tu évoquer le passé?

– Non, répondit le Brabançon. C'est du présent que je veux t'entretenir. Mais laisse-moi te regarder, capitaine! J'ai appris avec joie ton nouvel état, et la probité dont tu t'honores. Tu es estimé de tous, en tous lieux on cite ton nom avec respect. Je ne le dis pas par politesse, je le pense vraiment.

– Mille mercis, fit le Cavalier suédois. L'attention bienveillante que tu portes à mon entreprise est pour moi un honneur. Et toi? De quoi vis-tu?

– Du commerce, déclara le Brabançon. Que ferait la souris sans paille d'avoine? J'ai acheté puis vendu avec quelque bénéfice : j'ai pu ainsi prospérer sans entamer mon capital.

– Et sinon? demanda le Cavalier suédois. A quoi emploies-tu ton temps? As-tu une femme, des enfants?

– Non, répondit le Brabançon. J'aurais pu épouser une fille de docteur mais j'ai jugé le célibat plus salutaire. Le soir, une fois mes lettres expédiées, je vais à la comédie ou dans quelque assemblée où l'on discute, et je m'accorde à l'occasion une partie de trictrac *pour passer le temps* [1], mais le dimanche, si le temps est beau, c'est dans mon jardin que je me

1. En français dans le texte.

tiens... du moins était-ce le cas jusqu'à ce jour. A présent j'ai vendu tous mes biens, jusqu'aux meubles et aux tableaux qui ornaient la maison, et je quitte le pays.

– Eh bien moi, je vieillirai sans doute ici, dans mon domaine, confia le Cavalier suédois. Le maître doit régner sur sa terre dit-on; or il s'avère bien souvent que c'est elle qui règne sur lui : elle qui le retient et l'empêche de partir. Mais tu vas découvrir des pays inconnus, je t'envie sincèrement.

– Qui peut-on envier en ce monde? fit le Brabançon. Quand je songe aux étranges péripéties qui ont jalonné mon existence présente et passée, il m'apparaît que toute joie est vanité. Car tout passe, la lumière elle-même ne dure qu'un temps, et nous ne sommes rien, qu'une balle aux mains de la Fortune changeante qui nous lance en l'air pour mieux nous faire sentir la chute.

– Ce sont là de nobles spéculations, concéda le Cavalier suédois, mais elles ne me disent rien, je n'ai point le temps de m'y livrer. Je dois veiller à nourrir ma femme, mon enfant et tous les gens de mon domaine.

– Capitaine! fit d'une voix assourdie le Brabançon qui avait observé un silence. Écoute-moi! Dieu sait s'il m'en coûte mais je dois te le dire. Oui, capitaine, ce sont des nouvelles fâcheuses que je t'apporte. Tu dois partir.

– Qu'est-il arrivé? s'enquit le Cavalier suédois dont la voix ne trahissait aucune inquiétude.

– Tu dois partir, répéta le Brabançon. Sauve-toi! Le baron Maléfice est à tes trousses.

Le Cavalier suédois haussa les épaules.

– Le baron Maléfice? – il eut un rire bref. Ce n'est donc que cela?... Qu'il vienne, je ne m'en soucie guère. Que sait-il de moi?

– De toi, peu de choses, répondit le Brabançon. Mais les pilleurs d'églises et leur capitaine n'ont plus de secrets pour lui, car Lies la Rousse, le cabri, est passée dans l'autre camp, aussi je t'en conjure : sauve-toi!

– Christian!... la voix de Maria Agneta résonna dans la nuit. Où es-tu? Voilà une éternité que nous t'attendons. Ces messieurs se plaignent que tu passes la nuit à courir les étables.

Elle avait ouvert une fenêtre et se penchait pour lui parler. Un bruit de discussions ponctuées de rires parvint jusqu'à eux.

– Patiente encore un instant, ma bien-aimée, je viens, s'écria le Cavalier suédois.

Puis se tournant de nouveau vers le Brabançon :

– Que disais-tu à propos de Lies la Rousse?

– Est-ce là Madame von Tornefeld? s'enquit le Brabançon qui regardait derrière son lorgnon.

– Oui, c'est ma femme, fit le Cavalier suédois. Un ange de douceur et de pureté, et moi, que suis-je?

– *Sublime! Adorable* [1]*!* murmura le Brabançon la bouche en cœur tandis que Maria Agneta refermait la croisée.

1. En français dans le texte.

Et il ajouta :

– Tu devrais faire peindre son portrait, à l'huile, à la gouache ou a tempera. Excuse-moi auprès d'elle de ne point lui présenter à genoux mes hommages...

– Que disais-tu de Lies la Rousse? Parle! Tu vois bien que je suis attendu, le pressa le Cavalier suédois.

– On nous sert un breuvage amer, capitaine, fit le Brabançon. Lies la Rousse s'est acoquinée avec un caporal du baron Maléfice, lequel a pris ses quartiers à Schweidnitz. Elle vient même de convoler en justes noces, mais son amour pour toi s'est changé en haine. Le caporal est une jeune recrue à qui elle veut procurer de l'avancement, aussi s'est-elle empressée de faire parvenir au baron Maléfice un certain message...

– Où se trouve-t-il en ce moment? voulut savoir la Cavalier suédois. Est-il encore capitaine de dragons?

– Il a voyagé en Espagne, en Hongrie et dernièrement il se trouvait à Vienne pour affaires. A l'heure qu'il est, il s'achemine vers Schweidnitz, à ce qu'on m'a dit. Il est passé colonel et Lies la Rousse se targue de nous livrer à lui; en échange de quoi son caporal recevra le brevet d'officier qu'on lui a promis. Nous devrions, selon elle, nous estimer heureux qu'on nous expédie, le front marqué, sur les galères de Sa Majesté, l'empereur du Saint Empire. Mets de l'ordre dans tes affaires, capitaine, et sauve-toi, sa soif de vengeance laisse présager le pire.

Le Cavalier suédois fronça les sourcils et fixa du regard la lanterne de la cour.

– En effet, les nouvelles sont mauvaises, fit-il au bout d'un moment, mais elles pourraient être pires. Pourquoi partirais-je? Il vaut mieux que je reste où je suis. Elle a perdu ma trace, elle me cherchera sur la grand-route, dans les tavernes, les foires et les kermesses, partout où affluent les petites gens, mais elle ne viendra pas me chercher ici, au domaine.

– Capitaine, ton inconscience me confond, s'étonna le Brabançon. Tu parles comme si tu avais expédié tes cinq sens aux Indes Orientales. Lies la Rousse sait très bien où te trouver. N'as-tu pas dit et répété que tu voulais accéder aux honneurs de l'aristocratie? Et quand tu avais la fièvre et que Lies la Rousse te passait de l'eau vinaigrée sur le front et sur le visage, n'as-tu pas dans ton délire rudoyé valets et servantes, les traitant de fainéants et de voleurs et les menaçant de leur faire connaître ta loi lorsque reviendrait l'année suivante? Tu as fourni là des armes contre toi. Lies la Rousse me le disait encore le jour où nous nous sommes séparés : « Pour le retrouver, il n'est que de passer en revue les grands domaines de la région. » C'est pourquoi je te conseille de...

– Mais les domaines se comptent ici par centaines, sans parler de la Poméranie, de la Pologne, du Brandebourg et des pays avoisinants, comment me retrouverait-elle? objecta le Cavalier suédois d'une voix qui perdait de son assurance.

– Elle aura tôt fait de te retrouver, insista le Brabançon. Le baron Maléfice n'a qu'à mener son enquête pour apprendre que tu es arrivé au domaine il y a sept ou huit ans avec une sacoche pleine d'or. Et dès que ses soupçons se porteront sur toi, il ne lui restera qu'à te confronter avec Lies la Rousse pour qu'elle témoigne... et je te laisse deviner ce qui arrivera. Ne perds pas de temps, fais comme moi. Je préfère me contenter de peu et fuir cette menace de tous les instants. Écoute mon conseil, capitaine, ne tarde pas davantage, la vie continue au-delà des montagnes.

– Oui, fit le Cavalier suédois d'une voie sourde. Je devrais sans doute partir. Mais mon cœur s'y refuse.

– Eh bien, reste, livre-toi au fer et à la corde! éclata le Brabançon. A quoi bon me donner cette peine? Il n'est pire sourd que celui qui ne veut entendre.

Il tira de sa poche une montre à répétition dont il porta le boîtier d'or émaillé à son oreille.

– Pour moi, l'heure est venue, mon cocher attend, reprit-il d'un ton apaisé. Pourquoi m'escrimer de la sorte? C'est de ta peau qu'il s'agit, non de la mienne. Je t'ai tout dit, tu es prévenu. Si le vent tourne, je serai excusé.

Ils descendirent en silence l'allée d'érables jusqu'à la calèche du Brabançon. Le cocher salua et sauta sur son siège. Le Brabançon monta et, se penchant par la portière, confia à voix basse afin de n'être pas entendu du voiturier :

– Capitaine, je respecte ton grand courage, tu veux rester et affronter la tempête. Mais je le déplore à cause de ton enfant. Sa vie durant il devra porter le fardeau de ce père marqué du signe de l'infamie et expédié aux galères, les chaînes aux pieds. A présent je te dis adieu, capitaine, et que Dieu te protège! *Allons* [1]! cocher, en route!

Le Cavalier suédois suivit des yeux la voiture qui s'éloignait dans la nuit. Les paroles du Brabançon avaient pénétré son cœur tel un poignard. A présent il savait qu'il devait partir. Pour l'amour de son enfant. Mais où irait-il? Où?

Et comme il écoutait mourir au loin le bruit des roues, une vision fugitive s'imposa à lui.

Sur son cheval aubère il traversait la brande infinie vêtu de sa redingote bleue, la redingote de l'armée suédoise dont il avait rejoint les rangs. L'hymne suédois qu'on entonnait alentour montait vers le ciel noir de nuages. Des rapaces, au-dessus d'eux, décrivaient leur cercle. On entendait le grondement des canons; des bannières déchirées flottaient au vent, des salves de mousquets frappaient les rangs des cavaliers. Une balle le touchait et il tombait de cheval avec une félicité indicible.

Le soir même il fit part à Veiland et au Torcol de ce que lui avait appris le Brabançon, et il leur demanda de se préparer pour partir à la guerre avec lui. Ils accueillirent la nouvelle avec joie et burent à la santé de leur capitaine, car ils étaient las du

1. En français dans le texte.

travail de ferme et appelaient de leurs vœux tout ce qui pouvait venir bouleverser l'ordre de l'existence. Le bon vieux temps allait revenir, où, pareils à des faucons pèlerins, ils avaient chassé à travers le pays; sous le commandement de leur capitaine, ils allaient à nouveau amasser du butin et se remplir les poches.

Ce fut un moment difficile pour le Cavalier suédois, et plus difficile encore pour Maria Agneta, lorsqu'il lui annonça qu'il lui fallait s'en retourner servir le roi de Suède qui combattait les Moscovites dans la steppe ukrainienne. Maria Agneta le regarda avec un tel effarement qu'il dut tout reprendre au début : la veille au soir, il avait reçu du quartier général du roi, à l'instar d'autres Suédois vivant à l'étranger, l'ordre exprès de rallier le camp avec deux valets dûment équipés.

Elle éclata en sanglots. Et tout en pleurant à chaudes larmes, elle lui reprocha de ne songer qu'à la gloire dont il espérait se couvrir. Son roi était tout pour lui, mais elle n'était rien, l'amour qu'il lui avait voué s'était éteint dans son cœur...

Il la démentit mais n'avoua pas la vérité. Il n'avait pas le droit de révéler que leurs destins se séparaient parce qu'il songeait avant tout à elle et à l'enfant, à leur honneur et à leur avenir : qu'il partait la mort dans l'âme, sans songer le moins du monde à faire montre de sa valeur parmi les troupes de Charles XII... qu'il n'avait souci que de trouver là-bas une mort digne, laquelle lui serait refusée s'il restait au domaine. Mais il l'entourait de sollicitude...

– Ma bien-aimée, mon trésor, tu sais bien que mon amour n'est pas éteint, il ne cesse de brûler en moi. Tu es mon ange et ma joie, et rien, jamais rien, ne me détournera de toi. Mais je dois partir. Voilà sept années que je tourne le dos à la guerre. A présent mon roi m'appelle et mon devoir est de répondre, c'est ainsi. Ne pleure pas, mon aimée! Ne t'es-tu point engagée à accepter de moi le meilleur et le pire avec un amour confiant?

Elle le serra dans ses bras.

– Et toi? questionna-t-elle avec désespoir. N'as-tu point juré de rester auprès de moi jusqu'à ce que la mort nous sépare? Comment vivre sans toi? Et que m'importe ton roi qui n'aime que sa gloire et ne sait rien de l'amour des femmes?

– Ne parle pas ainsi de la très noble personne de Sa Majesté, fit le Cavalier suédois. Ah, mon aimée, je voudrais tant rester, mais je ne puis. L'heure est venue pour moi de ceindre l'épée. Dieu m'est témoin que je pars d'ici le cœur lourd. Mais mon roi m'appelle.

Elle pleura tout le jour et toute la nuit. Le matin, un peu d'apaisement lui vint avec la torpeur. Elle sortit de l'armoire la redingote bleue aux boutons de cuivre et au col rouge, la culotte en peau d'élan, les gants à rebras jaunes, le poignard à manche de cuir, la musette, la gourde et les pistolets d'arçon. Et lorsque tout l'équipement fut étalé devant elle, elle revit le jour où, le chapeau sous le bras, le Cavalier suédois était venu à sa rencontre dans le jardin lumineux, et ses yeux se remplirent de larmes.

– Que Dieu te garde, toi et ton roi, dit-elle doucement en caressant le drap usé du vêtement.

La petite Maria Christine qui s'était dirigée à cloche-pied vers les écuries trouva le Torcol dans la pénombre. Assis sur son coffre il raccommodait une vieille sangle. Elle l'observa un moment puis se mit à parler de ce qui agitait et tourmentait son cœur.

– Sais-tu que mon père part à la guerre?

– Oui, fit le Torcol. Et mon compagnon et moi partons avec lui.

– Alors vous serez trois, dit l'enfant qui compta sur ses doigts. Pourquoi partez-vous à trois comme les rois mages?

– Pour que l'un écoute quand les deux autres se taisent, expliqua le Torcol.

– Est-ce loin, la guerre? demanda Maria Christine.

– Donne-moi une aune, que je mesure, fit le Torcol.

– Et quand revenez-vous?

– Quand tu auras usé trois paires de petits souliers.

– Mais je veux savoir quel jour, s'écria Maria Christine.

– Cours dans la forêt et demande au coucou, suggéra le Torcol.

– Et que vas-tu faire à la guerre? s'enquit Maria Christine.

– Courir après la fortune, répondit le Torcol. Ma bourse vide m'est un poids. Je me sentirai plus léger quand elle sera pleine.

– Ma mère pleure, dit l'enfant. Ma mère dit que beaucoup ne reviennent jamais de la guerre.

– C'est à cela qu'on reconnaît que la guerre est bonne, repartit le Torcol. Car si elle était mauvaise, tout le monde rentrerait aussitôt.

– Alors pourquoi ma mère pleure-t-elle? demanda l'enfant.

– Parce qu'elle ne peut pas venir avec nous.

– Et pourquoi non?

– A cause du mauvais temps. Que fera-t-elle à la guerre s'il vente et s'il neige?

– Mais je ne veux pas! s'écria Maria Christine en trépignant, je ne veux pas que mon père fasse la guerre s'il vente et s'il neige. Il part avec sa redingote de rien du tout et sera vite trempé. Je veux qu'il soit rentré dès que le temps se gâte.

– Ne te fâche pas, la pria le Torcol. Nous allons voir ce qu'on peut faire.

– Il faut que tu m'aides, fit Maria Christine en grimpant sur ses genoux. Je sais que tu le peux. Je ne souffrirai pas que mon père reste à la guerre, tu entends? Ne fais pas la sourde oreille! Tu as plus d'un tour dans ton sac, fais qu'il revienne!

– Ne suis-je là que pour servir tes caprices, fit le Torcol en riant. Tu saurais marchander une âme avec le diable en personne! Et laisse ma barbe, tu vas finir par la raccourcir si tu continues! Écoute-moi bien : si tu veux vraiment que ton père n'aille pas à la guerre, prends du sel et de la terre et mets-les dans un petit sac...

– Du sel et de la terre, répéta Maria Christine. De la terre comment? De la noire? De la rouge?

– La terre est la terre, qu'elle soit rouge, jaune, noire ou brune, déclara le Torcol. Mets le sel et la terre dans un petit sac, et couds-le dans la redingote bleue de ton père, entre le drap et la doublure. Tu dois agir la nuit, à la lueur de la lune, et personne ne doit te surprendre avec ton aiguillée. Il ne faut pas non plus qu'un chien aboie ou qu'un coq chante, sinon le charme est rompu et tu dois tout recommencer. Tu as compris?

– Oui, souffla l'enfant.

– Le sel et la terre cousus dans sa redingote auront un tel pouvoir, poursuivit le Torcol, que ses pensées seront tournées vers toi jour et nuit. Ils te lieront à lui plus sûrement que la corde réveille la cloche, et jour et nuit, il n'aura de cesse de te retrouver. Tu as bien tout retenu?

– Oui, fit Maria Christine d'une voix qui tremblait, car la pensée d'agir la nuit l'épouvantait. Il faut mettre du sel et de la terre dans un petit sac et le coudre...

– A la lueur de la lune et non d'une chandelle, recommanda le Torcol. N'oublie pas! Il y a onze jours, c'était la pleine lune, elle est encore dans son croissant, la chance te sourit.

Dès que la lune parut au-dessus des hêtres pourpres et des aulnes touffus du jardin, Maria Christine se glissa hors de son lit. Sous son oreiller, elle prit le sachet de sel et de terre, une paire de petits ciseaux, du fil et une aiguille. Puis elle sortit à pas de loup de sa chambre et gravit l'escalier en silence. En quelques pas elle fut à la porte; elle s'immobilisa pour écouter si tout était tranquille puis elle pénétra, le cœur battant, dans la pièce où la redingote bleue de son père était posée sur un fauteuil.

Il ne régnait qu'une douce pénombre dans la grande pièce, le clair de lune entrait par les fenêtres, soulignant le contour des choses. Les boutons de cuivre brillaient sur la redingote suédoise. Maria Christine avança d'un pas et sursauta en voyant son image bouger dans le grand miroir. Lorsqu'elle comprit qu'elle était seule, elle reprit son souffle et se mit en devoir de transporter la lourde redingote. La pressant contre elle, elle la traîna jusqu'à la fenêtre devant laquelle elle s'accroupit, tremblant à l'idée qu'un aboiement de chien ou le chant d'un coq vinssent ruiner l'ouvrage qu'elle accomplissait secrètement. Comme les chiens et les coqs se taisaient, elle disposa le vêtement sur ses genoux et prit les ciseaux. Les chiens et les coqs dormaient à cette heure mais son père et sa mère veillaient encore. Dans la grand-salle, Maria Agneta était assise, le visage défait par les larmes, tandis que le Cavalier suédois se tenait debout, les bras croisés, devant la cheminée.

Le regard perdu dans le feu qui mourait, il remonta le temps jusqu'à cet instant où il avait vu Maria Agneta pour la première fois. La rencontre avait eu lieu dans cette même pièce. C'est ici qu'elle s'était tenue, ruinée, trompée par tous, pleurant celui qu'elle aimait... un enfant qui l'avait oubliée, elle et son amour. Et lui, le prisonnier du baron Maléfice, tout désarmé qu'il était, avait alors conçu de présomptueuses pensées : elle serait sienne et il ferait, à ses yeux et aux yeux du monde, un gentilhomme plus convaincant que ce blanc-bec. Ce que l'autre avait reçu au berceau, il avait dû se l'octroyer par des actes hardis et infamants. Son bonheur avait duré sept années. Il ne lui restait plus, après avoir vécu sept années en gentilhomme, qu'à mourir de même. Cette mort qui devait être la sienne, il la chercherait dans l'armée suédoise, son cœur y était résolu, et il remerciait le destin de lui épargner la main du bourreau.

– Tu es entourée de domestiques probes et expérimentés, dit-il à Maria Agneta. Si tu veilles à bien conduire ta maison, tu ne manqueras de rien.

– Tu ne penses pas que toi, tu me manqueras, bien-aimé? fit Maria Agneta d'une voix douce.

– Veille également, poursuivit le Cavalier suédois, qu'à la maison, dans les étables et dans les champs on procède avec économie, sans cependant négliger le nécessaire. Ne dépense pas plus que tu ne perçois. Débarrasse-toi sans délai d'une bête inutile. Mais sache patienter pour les semailles d'été, attends que le temps soit favorable! Et n'oublie jamais qu'un champ bien travaillé et bien fumé donne plus que deux champs mal entretenus.

– Comment pourrais-je penser à tout cela, fit Maria Agneta d'une voix dolente, je vais désormais vivre dans l'inquiétude et la peur de te perdre.

Mais le Cavalier suédois pensait à son troupeau de moutons et aux bénéfices qu'il lui avait apportés. Il commençait à lui expliquer que la bonne laine ne vient que des bons pacages, et comment préserver les moutons de la dysenterie et de la gale, lorsqu'un bruit sourd qui semblait émaner de la pièce voisine le fit s'interrompre. Il posa le doigt sur ses lèvres.

– Qu'était-ce? s'inquiéta-t-il. As-tu entendu? Qui peut bien veiller à cette heure dans la maison?

– Personne, le rassura Maria Agneta. Le vent aura fait claquer les volets.

Mais le Cavalier suédois avait cru entendre comme un bruissement de pas. Il prit le chandelier de la table, s'en alla ouvrir la porte et lança :

– Hé! Qui est là?

La petite Maria Christine avait aligné ses points, le cœur battant, car elle entendait, tout près, la voix de son père. Elle avait enfin terminé. Pas un chien n'avait aboyé, pas un coq n'avait chanté. Mais comme, soulagée, elle reposait la redingote bleue sur le fauteuil, quelque chose de lourd était tombé à ses pieds avec fracas.

L'enfant qui ne savait au juste ce qui avait pu

provoquer ce bruit fut prise de panique. Elle voulut s'enfuir mais se cogna contre une chaise et, contenant ses larmes, se frotta la hanche et le genou. Elle se remit à courir, perdit une pantoufle dans sa hâte, dut s'arrêter un instant pour la retrouver, et franchit la porte au moment précis où le Cavalier suédois criait : « Qui est là ? »

Deux silhouettes apparurent un court instant dans l'embrasure de la porte : celle du Cavalier suédois, le bras levé tenant le chandelier, et celle de Maria Agneta, blottie craintivement contre lui. Le bras de l'homme eut un mouvement, et la lueur de la bougie fit briller soudain la couverture ornée de cuivre d'un livre qui se trouvait par terre, à côté du fauteuil. Maria Agneta alla le ramasser.

– Voilà ce qui a fait du bruit en tombant, fit-elle. Je pense que le chat a atterri sur ta redingote et a voulu la jeter bas, le livre aura glissé de la poche. On dirait qu'il a cent ans, il sent le moisi...

Le Cavalier suédois jeta un regard pensif sur l'arcane qu'il avait complètement oublié durant toutes ces années de bonheur.

– C'est la bible de Gustave Adolphe, expliqua-t-il à Maria Agneta; ce héros fameux la portait sous sa cuirasse lorsque la mort l'a fauché. J'ai pour mission de la remettre aux mains du jeune roi, mais je doute qu'elle me vaille beaucoup d'honneur, elle a triste mine avec ses pages détrempées et rongées par les vers. Le roi ne la regardera même pas...

Il haussa les épaules mais n'en jeta pas moins le

livre sur la table où étaient les pistolets d'arçon et les gants jaunes à revers.

Deux jours plus tard, à l'aube, alors que la brume ourlait encore les prés et la surface du vivier, le Cavalier suédois quitta le domaine avec Veiland et le Torcol. Le moment des adieux avait été difficile, douloureux, et lorsque Maria Agneta l'avait serré une dernière fois dans ses bras, lorsqu'elle l'avait recommandé en tremblant et en balbutiant à la bienveillance infinie du Christ, il avait dû se faire violence pour lui cacher que ces adieux étaient pour jamais.

L'enfant qui dormait ne s'était pas réveillée lorsque son père lui avait baisé la bouche, le front et les yeux.

DERNIÈRE PARTIE

L'homme sans nom

La nuit était avancée. Le Cavalier suédois se trouvait assis dans la salle froide et humide d'une auberge polonaise, devant un pichet de bière à moitié vide. Il avait chevauché trois jours durant à travers forêts et marais mais ne songeait pas à dormir malgré la fatigue. Le chien de l'aubergiste était couché par terre et rêvait bruyamment de lièvres, de renards et de sangliers. Dans un coin de la salle, le tenancier, qui ne parlait que le polonais, partageait son brandevin avec Veiland et le Torcol. Il était inquiet car sa femme était dans les douleurs; les deux compères cherchaient à l'éclairer de leurs conseils, recommandant de la myrrhe broyée dans un peu d'eau miellée, mais l'hôte ne les comprenait pas et ne cessait de demander ce qu'ils lui voulaient.

La lampe brûlait doucement. Dehors le vent sifflait et, lors des accalmies, on pouvait entendre les gémissements de la femme et le bruissement des arbres entourant la maison.

Veiland et le Torcol qui avaient vidé leur verre de brandevin quittèrent la salle, l'aubergiste les précéda avec sa chandelle, et tous trois gravirent l'escalier de bois qui craqua sous leurs pas. Le Cavalier suédois n'avait pas bougé de sa chaise, il baissait la tête : l'image de son domaine le hantait. Comme le silence régnait à présent, les voix, les bruits familiers resurgirent qui avaient résonné tout le jour à son oreille. Durant quelques secondes il entendit, par bribes, le bavardage des servantes qui passaient la drège dans le lin à l'heure de la veillée, le grincement du portail, le gémissement du puits, la voix de Maria Agneta appelant les colombes qui venaient à tire-d'aile en roucoulant. Il entendit le bourdonnement de la meule, le beuglement d'un bœuf que les commis attelaient. « L'orage est pour cette nuit », disait un vieux valet. Puis c'était le claquement des sabots, le cliquetis des bidons de lait... et parmi tous ces bruits, le lancinait la voix fluette et chagrine de Maria Christine qui réclamait son père et ne voulait pas croire qu'il était parti.

Le Cavalier suédois se redressa d'un mouvement brusque. Il sortit l'arcane de sa poche et le jeta devant lui sur la table.

– Tu as singulièrement changé, dit-il, s'adressant à la bible de Gustave Adolphe. Jadis tu me laissais à peine respirer entre les mauvais coups, ce n'était que rebondissements, jour et nuit tu me faisais miroiter l'or et l'argent que recelait le pays et tu les répandais à mes pieds : le butin m'attendait dans le vaste monde et tu me guidais. Mais à présent, tu n'as de cesse de dérouler sous mes yeux ce que j'ai perdu pour toujours. Rien de plus. Laisse-moi en paix, te dis-je, ne me rends pas plus misérable encore, ou je te jette au feu, aussi vrai qu'il y a un Dieu, car je suis las de toi.

Il regardait fixement devant lui. Sa main caressa le dos du vieux livre aux ferrures de cuivre.

– Sans doute as-tu raison, dit-il, comme si la bible du défunt roi avait formulé quelque réponse. Comment voudrais-tu que d'un jour à l'autre la voix de ma bien-aimée se taise, que les cris d'allégresse et les pleurs de l'enfant ne résonnent plus à mon oreille ? Et que ferais-je à la guerre ? Tu dis vrai. Ma main est davantage faite pour porter la bêche que le mousquet. Qu'irais-je faire dans l'armée suédoise ? Brûler des villages, saccager le blé des paysans, égarer leurs troupeaux ? Retourner les maisons et faire trembler les pauvres gens, les couvrir de jurons et de coups de cravache en criant : « Donne ce que tu as, *canaille* [1] ! » Oui, je serais bien fou d'aller creuser des tranchées pour le roi de Suède, de me lancer à l'assaut et d'éreinter mon cheval. Qu'il en découse s'il lui chante avec le tsar moscovite, qu'il se batte ou s'accorde avec lui, que m'importe !

Le vent continuait de siffler et le chien jappait en dormant. Le Cavalier suédois fixait le livre posé devant lui.

– J'ai joué comme jouent les hommes, tu le sais, fit-il doucement. Dois-je m'avouer vaincu parce qu'une femme ne peut oublier ?

1. En français dans le texte.

Il pensa à Lies la Rousse. Elle l'avait aimé éperdument jadis. Avec le dévouement d'une chienne elle avait obéi à son moindre signal. Et s'il parvenait à ranimer les braises de cet amour éteint? Plus il réfléchissait, plus l'espoir grandissait en lui de maîtriser une nouvelle fois le cours de son destin. Il pouvait encore gagner la partie : peu à peu, cette pensée téméraire s'imposait à lui.

« Je dois tenter ma chance, je n'ai pas le choix, se dit-il. Si je réussis, je rentre au domaine et j'oublie ce mauvais rêve et la misère de ces jours passés. Si je manque mon coup, c'est un homme sans nom que supprimera le bourreau... »

Il entendit des pas. L'escalier craqua et la porte s'ouvrit. Veiland et le Torcol passèrent la tête dans l'entrebâillement. Le Cavalier suédois fit disparaître l'arcane dans sa poche et tança les deux compères :

– Que rôdez-vous encore à cette heure? Allez vous coucher, la nuit sera brève, nous partons demain au point du jour.

– Es-tu donc si pressé, capitaine? s'inquiéta le Torcol. La maison compte un chrétien de plus. L'entends-tu crier? C'est un garçon et l'hôte est si heureux qu'il veut nous régaler deux jours durant. Pourquoi ne pas accepter et prendre un peu de bon temps? Nous arriverons toujours assez tôt à la guerre, elle ne se sauvera pas.

– Nous ne rallions plus l'armée suédoise, j'ai changé d'avis, annonça le Cavalier suédois. Nous allons faire demi-tour et gagner Schweidnitz où les dragons ont pris leurs quartiers, mais ce n'est pas à eux que je veux parler, c'est à Lies la Rousse, c'est une question de vie ou de mort.

De saisissement le Torcol ne sut d'abord que répondre, mais il retrouva bien vite ses esprits.

– Quand tu iras lui parler, capitaine, n'oublie pas ta bourse, lui conseilla-t-il. Lies la Rousse a toujours tenu la pauvreté pour le plus grand des vices. Si ton or peut empêcher le désastre, tu t'en seras tiré à bon compte.

– Bah, va te faire pendre! s'écria Veiland. Écoute-moi, capitaine : pas de long discours, une pierre au cou et hop! ni vu ni connu, tu la jettes à l'eau. Voilà mon conseil.

– Faites-moi confiance, trancha le Cavalier suédois. Je saurai lui clouer le bec, d'une manière ou d'une autre, dussé-je trouver une fin sanglante entre les mains du bourreau. Je suis résolu à jouer mon dernier atout et mise ma vie dans cette partie.

– Tu ne joues pas pour des noisettes, je le sais bien, fit le Torcol. Mais je n'ai pas peur pour toi, capitaine. Tu as toujours été casse-cou, n'aimant rien tant, dans les années passées, que de vagabonder entre la vie et la mort.

A une lieue de Schweidnitz, au bord du fleuve, se trouvait une cabane de journalier entourée de broussailles, inhabitée depuis des années. C'est là que les trois compagnons s'établirent. Ils trouvèrent également une remise pour leurs chevaux. Comme le soir tombait, Veiland sella : il devait faire un tour de reconnaissance dans la ville afin de découvrir où logeaient Lies la Rousse et son caporal et quelle heure était la plus favorable pour agir.

– Tu as toujours été un bon éclaireur, dit le Cavalier suédois en prenant congé de lui, tu peux faire merveille une fois de plus. Mais sois vigilant, si Lies la Rousse t'aperçoit, elle te reconnaîtra au premier coup d'œil, ne te crois pas métamorphosé parce que tu t'es rasé les joues et le menton. Exerce ton art, mais prends garde. A présent tout repose sur toi.

– Laisse-le aller et sois sans crainte ! fit le Torcol. Je connais Veiland. Il n'a pas encore élu l'arbre de Silésie où il lui plairait de se balancer.

Une nuit, un jour et encore une nuit s'écoulèrent. Lorsque Veiland reparut, il avait si bien espionné qu'il put donner au Cavalier suédois toutes les informations nécessaires.

– Les dragons sont établis à Schweidnitz depuis plusieurs semaines, rapporta-t-il, ils ont acheté des chevaux. Lies la Rousse et son caporal ont leur quartier chez un tailleur de la ville basse, tu n'auras qu'à demander la maison de l'Arbre Vert. L'heure la plus favorable est celle qui précède minuit. Lies la Rousse est alors seule dans sa chambre car le caporal est au « Corbeau », où ce qu'il ingurgite pourrait actionner la roue d'un moulin. Passé minuit, quand il a bu son content, il monte l'escalier avec un bruit d'enfer, puis les deux tourtereaux se querellent à faire trembler la ruelle. Les voisins sont habitués et n'y font plus attention. J'ai réfléchi à la manière dont tu pourrais t'introduire dans la maison sans te faire voir. Là où la cour touche le jardin, il y a du bois empilé contre le mur : il te suffit d'aller chercher la petite échelle qui est dans la resserre, de l'appuyer contre le tas et...

– C'est mon affaire, l'interrompit le Cavalier suédois. As-tu autre chose à ajouter?

– Oui, tu me dois vingt-deux kreutzers et demi, c'est ce que m'ont coûté les repas et deux cruchons de bière : les aubergistes ne font pas de cadeaux...

En fin d'après-dîner, le Cavalier suédois partit à la ville accompagné de Veiland. Le Torcol resta dans la cabane avec le cheval de bât et les portemanteaux, car il ne pouvait se montrer à Schweidnitz où plusieurs personnes le connaissaient.

Une fois dans la ville, les deux hommes se firent indiquer la meilleure auberge où ils descendirent. Le Cavalier suédois commanda un souper qu'il tint à prendre non en bas, à la table d'hôte, mais dans sa chambre. Son domestique le servirait, car il était las de sa longue chevauchée.

Les deux compagnons se cantonnèrent donc dans leur chambre et ne furent vus de personne, mais dès que dix heures sonnèrent ils se glissèrent hors de la maison, et Veiland guida le Cavalier suédois par les ruelles et les venelles vers la ville basse, jusqu'à la cour attenant à la maison de l'Arbre Vert.

– Le tailleur ne dort pas, il travaille dans son échoppe, chuchota Veiland. Mais il n'y a pas de lumière dans la chambre de Lies la Rousse, je pense qu'elle n'est pas rentrée.

– A moins qu'elle n'ait soufflé la chandelle et ne dorme déjà, chuchota à son tour le Cavalier suédois.

– Non, souffla Veiland dans l'obscurité. Elle ne se couche jamais avant le retour de son caporal.

La lune s'était cachée derrière un banc de nuages. Le Cavalier suédois sortit une lanterne sourde de dessous son manteau et promena durant quelques secondes le faisceau lumineux le long de la façade. Déjà il avait évalué la distance séparant la pile de bois de la fenêtre : il atteindrait celle-ci sans échelle; il observa aussi qu'il pourrait ouvrir les volets sans faire trop de bruit.

Il tendit la lanterne à Veiland.

– Prends-la, dit-il, je n'en ai plus besoin. Et maintenant, fais vite. Cours à l'auberge, paie la note, sors les chevaux de l'écurie et reviens te poster avec eux à proximité. A ton retour fais le cri de la buse ou de l'autour pour signaler ta présence, je saurai ainsi où te retrouver.

– As-tu vérifié tes pistolets, capitaine? s'inquiéta Veiland.

– Oui. Mais par tous les diables, file à présent, ordonna le Cavalier suédois. Et il escalada le tas de bois tandis que Veiland disparaissait dans l'obscurité.

Lies la Rousse entra et, tout en refermant la porte, quitta ses lourds brodequins. Elle avança vers l'âtre dont les braises éclairaient faiblement le sol de la chambre. Au passage elle posa son panier d'œufs sur la table et comme elle se dirigeait vers la fenêtre pour aérer la pièce enfumée, elle tendit l'oreille. Il lui sembla percevoir un bruit de respiration.

– Est-ce toi, Jacob? demanda-t-elle.

Aucune voix ne répondit, aucun bruit ne rompit le silence. Pourtant, elle avait le sentiment de n'être pas seule dans la pièce. D'une voix mal assurée elle interrogea l'obscurité :

– Qui est là?

Comme aucune réponse ne se faisait entendre, elle tâtonna pour trouver un copeau qu'elle embrasa dans l'âtre. Elle aperçut alors la silhouette d'un homme assis, immobile, sur son lit. Ce n'était pas son Jacob, elle s'en rendit compte aussitôt mais n'en éprouva guère que de la curiosité.

– Je suis tout de même curieuse de voir qui entre chez moi sans crier gare, dit-elle en éclairant le visage du Cavalier suédois.

Elle poussa un léger cri, recula en titubant... et la chambre se mit à tourner dans une pluie d'étoiles tandis qu'une sueur froide lui coulait tout au long du dos. Sa main tenant le copeau se mit à trembler comme sous l'effet d'une sorte de crampe tandis que l'autre tâtonnait dans le vide, cherchant vainement un appui. Le Cavalier suédois ne bougeait pas. Ses yeux, sous les sourcils broussailleux, fixaient Lies la Rousse et sur ses lèvres flottait un sourire railleur. Son ombre sur le mur menait une danse endiablée.

Lies la Rousse laissa tomber le brandon qui s'éteignit. Les pensées se bousculaient dans sa tête :

« Est-ce lui? Est-ce possible? Quand donc l'ai-je vu pour la dernière fois? Sait-il que je...? Qui le lui a dit? J'ai vu la mort dans ses yeux... Faire du bruit, appeler à l'aide! Qui m'entendra? Le tailleur a la goutte et avant que les voisins ne se réveillent... Ce regard qu'il m'a jeté! Oui, c'est ce regard qui m'a hantée toutes ces dernières années. Que faire? Mon Dieu, aide-moi. Si Jacob... mais Jacob n'entendra pas. A minuit, lorsqu'il rentrera, il sera trop tard. L'autre m'aura... Je serai... Jésus, aide-moi!... Il va disparaître par la fenêtre, sans laisser de trace, il excelle en cet art – il ne faut pas qu'il m'échappe! Je le tiens, si je sais m'y prendre, j'écourterai les poursuites et demain le baron Maléfice... – Votre Grâce, nous le tenons!... Tout cet or, je serais tirée d'affaire à jamais, je ne dois pas le laisser filer, dussé-je... Seigneur Jésus, tout cet or...! »

– Que me laisses-tu dans l'obscurité, fais de la lumière! fit la voix de son ancien capitaine.

Elle alla chercher des braises dans l'âtre et alluma la chandelle de suif qui se trouvait sur la table, dans un chandelier d'argile; ce faisant, elle parvint à mettre un peu d'ordre dans ses pensées. Elle avait remarqué le pistolet dans la main de l'intrus, la lueur cruelle de son regard qu'elle connaissait pour l'avoir vue trembler jadis; elle savait à présent les raisons de ce retour qui pouvait lui coûter la vie. Mais elle fit celle qui n'avait rien à craindre d'un bon compagnon qu'on retrouve avec joie après des années de séparation, et, pour gagner du temps, elle se mit à parler à bâtons rompus tout en réfléchissant intensément au moyen de rester en vie tout en livrant son ancien amant au baron.

– C'est donc toi, je ne rêve pas, fit-elle comme si un bonheur inespéré lui était échu. Je ne sais pourquoi ma main tremble, la joie de te revoir sans doute. Comment te remercier pour ce temps que tu daignes m'accorder?... Par où es-tu entré? Par la fenêtre? Je reconnais bien là tes facéties! Les voisins vont pousser les hauts cris. La prochaine fois, n'oublie pas qu'il y a une porte, je suis devenue quelqu'un de respectable. Eh bien, comment te sens-tu dans mon nouvel intérieur?

– Très bien, répondit le Cavalier suédois.

Il la regardait : son visage avait une expression de dureté et de rouerie qu'il ne lui connaissait pas. L'amour qu'elle lui avait porté était éteint depuis longtemps, il en avait la conviction à présent. Lies la Rousse s'interposait entre lui et son bonheur, il devait la faire taire une fois pour toutes. Le pistolet à la main, il attendait que Veiland pousse son cri d'autour.

– Et toi? poursuivit Lies la Rousse. Qu'as-tu fait de toutes ces années? La fortune, apparemment, ne t'a pas souri. Je dois dire que j'ai mangé de la vache enragée, moi aussi. N'importe!... La bouteille, pendant un temps, a chassé le chagrin et l'insomnie. Mais à présent je n'ai plus besoin d'expédient. Es-tu venu voir comment marche mon nouveau ménage, capitaine? Dans ce cas dis-moi sous quel nom, sous quel titre je dois te présenter à mon Jacob. Il ne va pas tarder; il me semble à tout instant entendre son pas dans l'escalier.

– Qu'il vienne, fit le Cavalier suédois. Qu'il s'avise de monter et c'est en enfer qu'il ira bouler!

– Pour l'amour du ciel, serais-tu jaloux, en veux-tu à la vie de mon Jacob? s'écria Lies la Rousse.

A peine eut-elle prononcé ces mots qu'elle conçut le moyen de livrer son ancien amant au baron Maléfice. En un éclair un plan effroyable avait jailli de son esprit. La crainte et l'amour qui ne voulait pas mourir en elle l'oppressèrent alors si violemment qu'elle faillit hurler de détresse et de peur. Mais la haine eut bientôt raison de sa résistance. N'avait-elle pas cent fois supplié Dieu à genoux de lui livrer cet homme afin qu'elle lui rende ce qu'il lui avait fait? L'heure était venue, elle le tenait. Elle jeta un regard circulaire dans la chambre... là, par terre, près de l'âtre, elle apercevait la sacoche à outils de son homme, et dans le foyer brûlaient encore des braises... Sa décision était prise. Et elle reprit le fil de son discours sans rien trahir du sombre projet qui couvait en elle.

– Es-tu réellement jaloux? fit-elle en riant. Oui, capitaine, tu aurais dû mieux veiller sur moi, tu m'as délaissée tant d'années! Il est trop tard, à présent. Résigne-toi, cela vaut mieux. Ne cherche pas querelle à mon Jacob, il s'enflamme vite. J'aimerais tellement que vous deveniez amis! Mais il est temps que je lui prépare ses galettes, le feu va s'éteindre; s'il ne trouve pas le dîner prêt, il m'en cuira.

Elle prit des œufs dans le panier et les cassa dans

la poêle. Puis elle se baissa et sortit de la sacoche le fer dont on marquait l'encolure gauche des chevaux du régiment. Il portait la marque d'un L haut d'un pouce car le colonel du régiment, le baron Maléfice, se nommait von Lilgenau. Mais pour peu que ce L fût frappé à l'envers, il figurait aisément un gibet. C'est avec ce fer que Lies la Rousse se mit à tisonner le feu.

– C'est qu'il est difficile! fit-elle en se redressant et en laissant le fer dans les braises. Si le repas n'est pas servi à temps, il me cherche querelle. Sinon je n'ai pas lieu de me plaindre. Il ne veut pas entendre parler d'enfants. Il pense que les enfants ne nous causeraient que de l'embarras. Mais je ne désespère pas, et l'avancement aidant... Il est au mieux avec les officiers de son régiment.

Dans le jardin l'autour jeta son cri. Le Cavalier suédois se leva et s'avança vers elle.

– Il suffit! lui ordonna-t-il d'une voix contenue. Dis un Notre Père, invoque Jésus et repens-toi, ton temps est compté.

– Pourquoi dirais-je un Notre Père? Que me veux-tu? s'écria-t-elle en reculant. As-tu repris ton ancien office? Veux-tu te faire la main sur moi? Épargne-toi cette peine, il n'y a pas d'argent à la maison.

– Je n'ai que faire de ton argent. Tu sais fort bien pourquoi je suis venu, tu l'as su dès le premier instant. N'as-tu pas conclu un accord avec le baron Maléfice? N'as-tu pas promis de me livrer à lui pour un brevet d'officier?

Lies la Rousse écarta une mèche de cheveux de son front et haussa les épaules.

– Est-ce là le bruit qui court, persifla-t-elle. Qui t'a conté pareilles sornettes?

Elle se pencha sans attendre la réponse et se remit à tisonner les braises de l'âtre, comme si son seul souci pour lors eût été de réussir sa galette. Puis, la main serrée sur le fer, elle reprit :

– N'aie crainte, jusqu'à présent j'ai gardé le silence et je continuerai. Par le ciel et la terre, je jure que je te veux du bien!

Elle perçut un léger bruit; la porte d'entrée avait grincé. Son Jacob rentrait enfin. Il fallait agir sans tarder, avant qu'il n'entrât dans la chambre, avant qu'on n'entendît ses pas dans l'escalier.

« Frappe! lui soufflait une voix. C'est ton ennemi, c'est l'ennemi de tous, frappe! La pitié n'est pas de mise. »

– Tu ne m'y prendras pas, fit la voix du Cavalier suédois. Debout! Peux-tu le jurer par le baptême qui a sacré ton front?

Elle se releva d'un bond. Ils se bravèrent une fraction de seconde puis elle porta le fer rougi à son front.

Il poussa un cri sourd, porta la main à son visage dont les traits se convulsèrent, puis il tituba, le corps plié de douleur. Mais il se fit violence et peu à peu se redressa. Un gémissement franchit ses dents serrées. Lentement, pouce à pouce, il leva la main qui tenait le pistolet.

Lies la Rousse qui avait songé souffler la chandelle

et, son forfait accompli, gagner la porte à la faveur de l'obscurité, resta pétrifiée par le regard terrible : elle demeurait clouée sur place :

– Prends garde ! Le brigand de Dieu ! eut-elle tout juste le temps de hurler comme elle entendait son Jacob passer le seuil – et dans sa voix stridente l'effroi et le triomphe le disputaient à la peur de mourir et à une joie barbare. N'entre pas ! Je l'ai marqué au front ! Cours donner l'alarme ! Le signe du gibet le...

Le coup de feu retentit. Lies la Rousse se tut et s'écroula.

Une fois en bas, il s'affaissa contre la pile de bois. Veiland surgit alors de l'ombre et lui lança d'une voix étouffée :

– Par ici ! Par ici ! Que s'est-il passé ? je l'ai entendue parler de gibet et de marque au front. Je commençais à m'inquiéter.

– En selle ! Vite ! gémit le Cavalier suédois.

Veiland le saisit alors par le bras, l'entraîna vers les chevaux et le hissa sur sa monture.

Le Torcol tressaillit lorsqu'ils franchirent le seuil de la cabane. Son regard épouvanté fixait le visage du Cavalier suédois.

– Sainte Vierge ! cria-t-il. Quel tour t'a-t-on joué là ? Tu ferais reculer un Turc !

– A boire ! articula le Cavalier suédois. Ils sont à

mes trousses. Je vais devoir fuir la lumière du jour et me terrer comme un lapin.

Le Torcol lui tendit la cruche. Il la vida d'un trait.

– C'est ma faute, dit Veiland. Je n'aurais pas dû le laisser seul avec elle.

– Où aller, à présent, capitaine? Que faire? s'écria le Torcol.

– Oui, où aller? murmura le Cavalier suédois en claquant des dents. L'ambassadeur du diable!... Oui, c'est là-bas que je dois aller, dans l'enfer de l'évêque, dans le fracas de sa fournaise, car il n'est plus de lieu où vivre et mourir ne soient pour moi déshonneur.

Le gaillard qu'on surnommait Tourne-Feu dans les forges de l'évêché, parce qu'il n'avait pas son pareil pour manier la lourde pique servant à tisonner la braise des fours, ce rude compère au visage marqué de brûlures et dont le corps jeune et robuste montrait une musculature d'acier – ce Tourne-Feu donc montait le sentier forestier reliant l'enfer de l'évêque au monde extérieur. Il avançait du pas lent et incertain de celui qui a perdu l'habitude d'aller à sa guise. Neuf années durant il avait, tel un mort vivant, servi le feu et son despote, accomplissant non moins de neuf Travaux. Il avait été bête de somme, il avait tiré des charrettes, cassé des pierres, tisonné, surveillé le feu et donné des ordres, il avait été maître-charbonnier, fondeur, mouleur et pour finir maître de forge. Les surveillants épargnaient la bastonnade au maître de forge. A présent il était libre, mais il avait peine à croire qu'il avait fait son temps... que le monde l'attendait dans son immensité, avec ses chemins sinueux et droits.

Il sifflait en marchant et le vent passait par les trous de son habit de coutil. De temps à autre il faisait sonner dans sa poche l'argent que lui avait compté le secrétaire du prévôt ou du bailli. Six guldens plus un demi-gulden, c'était là toute sa fortune, il verrait bien jusqu'où le mènerait ce viatique. Ce qui lui importait avant tout, c'était de sortir de cette épaisse forêt. Et comme le chemin bifurquait soudain, il s'arrêta, indécis, ne sachant s'il devait prendre à droite ou à gauche, dans le sens du soufflet, ou dans celui du vent contraire, comme disaient ses compagnons d'infortune, là-bas dans les chaufours.

« Le mieux est de jouer à pile ou face, se dit-il en tirant un gulden de sa poche. » Il allait le lancer lorsqu'une voix retentit :

– Prenez à gauche, messire. Prenez à gauche, et continuez tout droit, vous trouverez ce que vous cherchez.

Tourne-Feu leva les yeux. A douze pas se tenait un homme portant pourpoint rouge, sur la tête un chapeau de roulier orné d'une plume, et à la main un fouet de roulier.

– D'où sors-tu donc? s'écria Tourne-Feu. Par mon âme, je ne t'ai vu ni entendu venir.

– Le vent m'a délogé d'un arbre, répliqua en riant l'homme au pourpoint rouge dont le fouet siffla. Messire ne me reconnaît pas?

Il s'approcha et Tourne-Feu examina le visage cireux et racorni tel un gant de cuir, dont les orbites vides eussent effarouché le premier quidam. Mais Tourne-Feu ne s'effaroucha pas, il n'aurait pas reculé devant le Malin en personne car il savait qu'il n'est démon plus redoutable que l'homme parmi ses semblables.

– Oui, je te reconnais, dit-il. Tu es celui que les gens de l'évêché nomment le « meunier-fantôme ». Ils disent que tu n'es pas une créature terrestre. Ils disent que tu n'as pas le droit de séjourner plus d'un jour par an sur terre et qu'au terme de ce jour tu te métamorphoses en un petit sac de poussière et de cendres qu'un chien pourrait emporter dans sa gueule. Voilà les bruits qui courent. Est-ce aujourd'hui ton jour... si je puis m'enquérir?

L'homme au pourpoint rouge, contrarié, retroussa les babines.

– Le bas peuple bavarde, messire ne devrait pas écouter, fit-il. Il jase, il parle sans rime ni raison. Messire me connaît, il sait que je suis le roulier de Sa Grandeur l'évêque. J'ai voyagé toute une année, je viens de Harlem et de Liège, je rapporte à Sa Grandeur des pièces de damas, des dentelles du Brabant et des oignons de tulipes. Et messire n'a pas oublié que c'est également moi qui...

– Cesse de me donner du messire, l'interrompit

Tourne-Feu. Je ne suis pas homme de qualité. Le vent a emporté mon honneur et mon nom.

– Messire n'a pas oublié, poursuivit, imperturbable, l'homme au pourpoint rouge, c'est moi qui l'ai conduit en lieu sûr...

– Le bourreau te le rende! s'écria Tourne-Feu. En lieu sûr! Avant même de consommer le brouet du matin on a déjà reçu une douzaine de coups de bâton.

– Oui, le bailli de l'évêque fait régner la discipline parmi les sacripants. Qu'y pouvons-nous? Il faut bien administrer la justice, en quelque lieu que ce soit, fit l'homme qui se disait le roulier de l'évêque. Mais celui qui fait son temps honnêtement reçoit un juste salaire.

La fureur empourpra le visage de Tourne-Feu.

– Cesse de m'abuser, drôle, s'écria-t-il, ou je te fais ravaler tes fariboles. Six guldens et demi, voilà tout le salaire qui me reste après que le secrétaire de ta chancellerie, d'une main impie, a compté le saindoux et les bribes de viande qui amélioraient l'ordinaire.

– Les temps sont difficiles, et Sa Grandeur n'est pas exempte de soucis, geignit l'homme au pourpoint rouge dont la mine s'assombrit. Tenir une cour est une lourde charge, où trouver l'argent? L'impôt sur la viande et la bière est hypothéqué depuis longtemps à la résidence, aussi les domaines doivent-ils rapporter. Mais messire n'en pâtira pas. Ce qu'il désire ardemment lui sera accordé aujourd'hui même.

– Cherche un autre fou! grommela Tourne-Feu. Comment peux-tu savoir ce dont j'ai besoin?

– Un cheval rapide et une épée, voilà tout le souhait de messire, fit l'homme au pourpoint rouge.

– Oui, et une paire de pistolets! s'écria Tourne-Feu ébahi. Mais quel diable te l'a dit?

– Je l'ai lu sur le front et dans les yeux de messire, répondit l'homme qui se disait roulier. Et je sais davantage encore : messire a l'intention de voler ce cheval dans l'écurie d'un paysan.

– Canaille, comment oses-tu! s'indigna Tourne-Feu. Me prends-tu pour un va-nu-pieds?

Mais comme il ne pouvait s'empêcher de reconnaître que l'homme à la gueule torve disait vrai, il ajouta :

– Je voulais juste l'emprunter.

– Messire ne devrait pas charger inutilement sa conscience, fit l'homme au pourpoint rouge. Prenez à gauche, messire, et continuez tout droit jusqu'au moulin et à la maison du meunier qui sont sur la colline. Entrez et reposez-vous, messire! Le cheval vous y attend, dûment sellé et bridé... que messire en dispose.

– Je te tiens pour un fieffé trompeur mais n'importe, je verrai bien ce qui se cache derrière tes paroles, lança pour conclure Tourne-Feu... qui prit le chemin du moulin.

On entendait grincer à la ronde l'axe du grand arbre. Les ailes du moulin à vent tournaient et tournaient. Mais il n'y avait pas âme qui vive dans ce désert. Tourne-Feu chercha en vain dans l'étable et dans les prés alentour le cheval qu'on lui avait promis. « Voilà qui t'apprendra à croire le premier venu! » se dit-il, puis il entra dans la maison du meunier car le ciel se couvrait.

On eût dit que personne n'en avait franchi le seuil depuis des années. Des toiles d'araignée ornaient les murs. Une épaisse couche de poussière recouvrait la table, les chaises, le coffre et le bahut. Dehors, le vent secouait les volets cassés. Tourne-Feu, en quête de nourriture, regarda alentour. Il se serait volontiers contenté d'un biscuit et d'une pinte de vin mais il ne trouva rien qu'un vieux jeu de cartes français. Il tenta de se distraire en jouant avec lui-même une partie de piquet mais se lassa vite. Il s'étendit sur le banc, derrière le poêle, écouta un moment le grincement de l'arbre et le bruissement de la pluie, puis il s'endormit.

Il dormait si profondément qu'il ne se réveilla pas lorsque le Cavalier suédois et le Torcol entrèrent en faisant sonner leurs éperons.

Le Cavalier suédois s'était résigné à son destin : il savait qu'il ne pouvait plus en infléchir le cours. Le monde lui était interdit depuis qu'il portait la marque sur son front; seul lui était ouvert l'enfer de l'évêque, dernier asile de tous les gibiers de potence. Mais le Torcol, qui ne pouvait accepter ce revers, blasphémait comme un beau diable. Il attendait que l'aubergiste ou le meunier vînt les servir et se colletait avec son compagnon :

– Nous n'en serions pas là si tu m'avais écouté!

C'est moi qui avais raison. Dans l'armée suédoise, tu aurais pu devenir général. Nous aurions fait du butin et rempli nos poches. Mais te voilà à présent plus misérable qu'à Magdebourg, au sortir de la geôle. Où donc est passée ta gloire?

– Le laisseras-tu en paix! Tu débites plus de paroles en un trait que moi en une année, lança Veiland qui était resté dans le pré pour bouchonner les chevaux que la course avait éreintés.

Le Cavalier suédois pressait contre son front un linge imbibé d'huile. Ses pensées l'avaient conduit bien loin de là. C'était la nuit, il se tenait dans la chambre de son enfant. Maria Christine s'était glissée hors de son lit et serrait ses bras autour de son cou. Il entendait battre son cœur. « – Tu es là, murmura le vent léger de sa voix d'enfant. Tu es là et je ne te laisserai pas repartir! – Il le faut pourtant répondit-il – et dans sa voix bruissait la pluie –, mais je reviendrai. Je dois rallier l'armée suédoise. Je vais sur le cheval du vent. – Cinq cents lieues, une heure durant, chuchota l'enfant. »

Il leva la tête et la douce vision s'évanouit. Dans le miroir terni suspendu au-dessus du bahut il vit son front marqué du signe de la potence.

– Oh, m'endormir dans la nuit éternelle, murmura-t-il.

– Et qu'adviendra-t-il de nous? s'acharna le Torcol. Tes compagnons ne te sont plus utiles. As-tu encore ton arcane, capitaine? Il ne nous a guère porté chance. Prends-le et jette-le par la fenêtre, peut-être qu'un paysan trébuchera dessus et se rompra le cou. Mais, par la corde! où se cache donc l'aubergiste? Pourquoi diable ne vient-il pas servir?

Il se leva et se mit à arpenter la salle. Il aperçut alors Tourne-Feu qui dormait sur son banc et jeta les hauts cris :

– C'est à peine croyable! Il est là sur son banc et il dort. Réveille-toi, drôle, tu as du monde. Veille à servir à boire!

Il donna une bourrade à Tourne-Feu qui sommeillait toujours. Ce dernier sursauta alors et, rappelé à l'ordre des chaufours par ce qu'il croyait être la correction d'un surveillant, essaya de se dresser sur ses jambes.

– Oui, il est temps, murmura-t-il. Deux heures ont passé, il faut recharger le four.

– C'est ton affaire, répliqua le Torcol, quant à nous, nous avons assez attendu. Va nous chercher à boire.

– Tout de suite, haleta Tourne-Feu, l'esprit embrumé. Chargez le ringard, ajoutez du charbon. Je veux une flamme blanche, sans étincelle et sans fumée. Les galets à présent, deux corbeilles bien pleines, parfait!...

Le Torcol hocha la tête et se tourna vers le Cavalier suédois.

– Comprends-tu ce qu'il dit, capitaine? demanda-t-il. Moi, je n'y entends goutte. On dirait la langue des esprits malins...

Le Cavalier suédois jeta un regard sur le visage de Tourne-Feu.

– Ce n'est pas l'aubergiste, déclara-t-il, mais quelque bougre enfui des domaines de l'évêché, qui délire et revoit les fournaises.

Tourne-Feu cependant avait repris conscience et savait à présent où il était.

– Je vous souhaite le bonsoir, messires, fit-il en se frottant les yeux.

– Le bourreau te le rende, grogna le Torcol. Où est l'aubergiste? Voilà une éternité que nous attendons et il ne se montre pas.

– Je ne sais ce qu'il fait, répondit Tourne-Feu. Il m'a promis un cheval, car j'ai une longue route à parcourir, mais il n'a pas tenu parole.

– A défaut de cheval, enfourche donc un balai! pesta le Torcol qui en voulait désormais à tout le genre humain.

Tourne-Feu ne prêta pas garde au sarcasme. Il ne pouvait détacher ses yeux de la redingote bleue du Cavalier suédois.

– Ai-je l'honneur de parler à un officier de la couronne suédoise, ou est-ce que je me trompe? risqua-t-il. Messire vient-il de l'armée?

– J'en viens tout droit, fit le Cavalier suédois pensant clore ainsi la conversation.

– Messire est blessé? insista Tourne-Feu en montrant le linge dont le cavalier cachait la marque de son front.

– Une bagatelle, fit le Cavalier suédois en haussant les épaules.

Mais le Torcol, qui voulait donner une leçon à l'importun, ajouta :

– Trois ou quatre Tatars ont cherché à lui fendre le crâne avec leurs yatagans.

– Mais je vois que messire, pour sa gloire, a su les tenir en respect! s'écria Tourne-Feu tout exultant. Oui, les officiers suédois savent manier l'épée... Apportez-vous des nouvelles du quartier général, messire? Les Suédois ont-ils remporté une nouvelle victoire?

– Non, fit le Cavalier suédois que la colère gagnait, car l'homme commençait à l'importuner de ses questions. Sur tous les fronts, l'armée suédoise bat en retraite devant les Moscovites.

– Est-ce possible? Comment expliquer ces revers? s'écria Tourne-Feu au comble de la consternation. Et le général Lewenhaupt? Et le maréchal Rehnskjöld?...

– Ils sont à couteaux tirés et le coudrier vole quand ils se rencontrent, rapporta le Cavalier suédois.

– Mais le soldat suédois...?

– Il est fatigué de la guerre. Il veut retrouver son champ. Et les officiers eux-mêmes sont las du combat...

– Pardonnez-moi, messire, mais je comprends mal, fit Tourne-Feu qui toisa soudain le Cavalier suédois avec colère. Les officiers ne veulent pas se battre sous les ordres d'un roi qui fait trembler le monde?

– Il ne fait plus trembler personne, déclara le Cavalier suédois avec une froide ironie. Qu'a-t-il donc accompli de si grand? Ses incartades ont ruiné son pays, voilà tout. Il n'est pas un soldat qui l'ignore dans l'armée suédoise.

Il y eut un instant de silence. Puis Tourne-Feu lâcha d'une voix posée :

– Vous mentez, messire. Vous n'avez jamais appartenu à l'armée suédoise.

– Qu'on me débarrasse de ce drôle, il commence à m'importuner, cria le Cavalier suédois à son valet.

Le Torcol s'approcha de Tourne-Feu qu'il saisit fermement par le bras.

– Viens par ici! ordonna-t-il. Nous allons prendre un peu l'air, la pluie a cessé.

D'un léger mouvement du bras, Tourne-Feu envoya le Torcol à l'autre bout de la pièce. Puis il se dirigea posément vers le Cavalier suédois et se campa devant lui.

– C'est un mensonge, protesta-t-il, un mensonge infâme! Laisse ton couperet là où il est ou je le fracasse! Tu n'as jamais servi dans l'armée suédoise. Blessé à la guerre? A d'autres! Là d'où je viens, tes semblables tirent la charrette et n'aiment guère montrer leur front. Est-ce l'honneur ou la honte qu'il faut lire là-dessous?

Et d'un geste vif il arracha le linge dont l'autre couvrait son front.

Le Cavalier suédois sursauta. Il voulut dissimuler le signe du gibet mais il était trop tard et il laissa retomber sa main.

Ils se toisèrent en silence; leurs regards s'affrontèrent, puis ils se reconnurent...

– Pour l'amour du Christ! Est-ce toi? balbutia le Cavalier suédois.

– Frère! Comment est-il possible que je te retrouve ici! s'écria l'autre d'une voix émue.

– Je t'ai cru mort et tu es là!

– Et toi? La vie ne t'a pas épargné! De quelle geôle viens-tu? De quelle galère?

– Tu as réchappé de l'enfer, frère! J'en remercie Dieu.

– Ne devais-tu pas rejoindre l'armée suédoise à ma place?

– Ce serait une trop longue histoire, frère! J'ai cru plus judicieux de tenter ma chance au pays. Si tu pouvais me pardonner le mal que je t'ai fait.

– Et quel mal m'as-tu fait? J'ai subi l'épreuve de l'enfer et je me suis endurci au feu. Dis-moi seulement ce que je puis faire pour toi, frère.

– Tu ne peux rien pour moi. Je vais descendre dans l'enfer de l'évêque et disparaître aux yeux du monde. Et toi? Où vas-tu?

– Je vais rejoindre l'armée suédoise. Je veux servir mon roi.

– Tu n'es guère équipé pour le voyage.

– N'importe, frère! Je parviendrai au but. J'ai appris là-bas à défier les forces contraires.

– J'ai un cheval, prends-le. Et voici mon épée, mes pistolets, ma sacoche, ma bourse et mes deux valets – ils t'appartiennent.

– C'est plus qu'il ne me faut. Garde la sacoche, garde la bourse! Comment te remercier? Mais l'arcane que je t'ai confié jadis, la bible de Gustave Adolphe... ?

– La voici, frère, prends-la!

– Le ciel soit loué! Je la retrouve. Je pourrai la remettre aux mains de mon roi. Et toi, frère...

– Le marché est-il conclu? Vous devez trinquer pour le consacrer, fit une voix grinçante.

Ils se retournèrent et virent alors le meunier au pourpoint rouge. Il tenait un verre de brandevin dans chaque main et sa face torve riait de son rire silencieux.

Le cavalier de Charles XII prit son verre et le leva :

– Trinque avec moi, frère, vide ta coupe! dit-il. Et que la fournaise n'entame pas ton courage!

– Que ton épée te couvre d'honneur, répondit son ancien compagnon.

Puis ils prirent congé l'un de l'autre.

Le vrai Christian von Tornefeld partit à la guerre avec ses deux valets, tandis qu'un homme sans nom se glissait derrière le meunier et prenait le chemin de l'enfer de l'évêque.

Ils allaient à présent par la forêt obscure. La pluie bruissait doucement. Le vent agitait les frondaisons. Les pas du meunier se faisaient plus lents, il trébuchait sur chaque pierre, sur chaque racine qui se trouvait en travers du chemin. On eût dit que ses forces l'abandonnaient.

En bordure du sentier se dressait un étroit monticule de terre envahi d'herbes folles; il s'y arrêta.

– Il te faut continuer seul, tu ne peux guère te tromper, dit-il à celui qui l'accompagnait. Ce chemin est trop dur pour moi. Ne te soucie pas de moi, je reste ici.

– Ce n'est pourtant pas la première fois que tu l'empruntes, fit l'homme sans nom.

– Que ce soit la première ou la dernière fois, n'importe, c'est trop, je n'en puis plus, gémit le fantôme – et, se laissant glisser à terre, il posa la lanterne à côté de lui. Encore cent pas et tu verras danser les flammes des fonderies.

– Quelqu'un est-il enterré ici? voulut savoir l'homme sans nom. Je ne vois pas de croix.

– Oui, quelqu'un gît ici, qui fut privé de sépulture, fit l'ancien meunier : un homme qui, de son gré, a passé la corde à son cou, par une rude nuit. Écoute ce qu'il advint... Comme le nœud se resserrait, il entendit le vent hurler : « C'est un péché! C'est un péché! » – mais il était trop tard. La chouette alors battit des ailes à la vitre et cria : « Le feu ardent! Le feu lustral! » – mais il était trop tard.

Le meunier laissa retomber la tête sur sa poitrine, sa voix se fit imperceptible, tel le craquement d'un rameau sec. Quand les gens le trouvèrent pendu, poursuivit-il, ils coururent chez le maire du village mais celui-ci objecta que c'était là l'affaire du bourreau du district, la commune ne pouvait pas trancher la corde. Le chef du district les renvoya quant à lui à la mairie car le mort ne relevait pas de la haute justice. Aussi resta-t-il pendu. Mais lorsque le maire arriva sur les lieux, il constata qu'une âme charitable avait coupé la corde, on avait dû également enfouir le corps quelque part dans la forêt. Personne ne savait où.

Le vent secouait les arbres et des rafales de pluie faisaient rage. Le meunier semblait s'éloigner en lui-même...

– Il gît ici, il attend la clémence de Dieu, murmura-t-il. Mais va ton chemin, le temps de dire deux Notre Père et tu verras les valets de l'évêque. Ils te frapperont comme à leur habitude, tu dois les laisser faire. Puis dis-leur que j'ai payé le dernier pfennig de ma dette et que je ne reviendrai plus.

L'homme sans nom s'éloigna parmi les arbres; au bout de deux Notre Père il se retourna. La lanterne ne brûlait plus et il ne vit plus ni le meunier ni sa tombe. Comme il marchait vers le feu qui palpitait au loin, les valets de l'évêque surgirent du couvert des arbres.

Parmi les fauteurs de maléfices qui s'étaient réfugiés dans l'enfer de l'évêque pour se dérober à la justice impériale, certains avaient eu la témérité, les premiers jours, le travail étant trop dur pour la maigre pitance, de se rebeller et de frapper les surveillants à coups de poings et de bâtons. C'est pourquoi l'usage voulait, à l'évêché, qu'on enchaînât aussitôt tous les nouveaux venus. On entravait les pieds de ceux qui cassaient la pierre, et les poignets de ceux qui tiraient les charrettes. Et on les laissait ainsi, jour et nuit, au travail comme au repos, jusqu'à ce qu'ils se pliassent aux lois d'airain de l'évêché et perdissent le goût de la mutinerie.

L'homme sans nom exécuta sa tâche sans maugréer, aussi lui retira-t-on les chaînes au bout de deux semaines. Quelques heures plus tard il s'enfuyait.

Pour réussir dans pareille entreprise il fallait prendre sa vie à la légère. Car on travaillait nuit et jour dans les cabanes où officiaient les concasseurs, dans les fonderies et les chaufours, et il était impossible de passer là sans se faire remarquer. Mais à l'ouest, là où étaient les carrières, une paroi rocheuse de trois ou quatre cents pieds formait la frontière de l'évêché et les gardes pensaient qu'aucun n'oserait la franchir de nuit. C'est par là que l'homme sans nom s'aventura : il emprunta la faille qui courait sur la roche abrupte et la lune lui prêta sa lumière. Pas à pas il progressa, au péril de sa vie. A mi-hauteur, des pins qui poussaient là lui offrirent une prise. Parvenu au sommet il s'accorda un bref répit. Puis il reprit son échappée, par la forêt et ses chemins dérobés, puis par la grand-route le long de laquelle il se cachait quand il croisait des gens. Passé minuit il parvint au domaine.

Il se dissimula dans les buissons du jardin où il attendit que le vieux gardien ait fait sa ronde. Puis il frappa à la fenêtre derrière laquelle dormait l'enfant.

Il avait risqué sa vie pour cet instant et il lui faudrait la risquer une seconde fois la nuit même. Lorsqu'il tint à la fin le visage de Maria Christine entre ses mains, lorsque à son cri de joie étouffé il vit qu'elle l'avait reconnu, il oublia le joug qu'il portait. La faim, la charrette ployant sous les blocs de pierre, le câble qui lui sciait les épaules, les coups des surveillants, les cris et les malédictions de ses compagnons d'infortune – tout s'était évanoui.

Maria Christine le pressa de questions, mais elle avait aussi mille choses à lui conter.

– Tu viens de loin? Tu dois être bien fatigué! Où est ton cheval? Où sont les valets qui t'accompagnent? Moi aussi, je sais monter. Si tu étais venu hier, tu m'aurais vue. Je montais la jument alezane et j'ai fait deux fois le tour du domaine, une fois dans un sens, une fois dans l'autre, je n'ai même pas eu peur. Au village c'était la kermesse, tout le monde s'amusait, et j'ai voulu danser aussi mais Mère n'a pas voulu, elle m'a dit : « Ton père est à la guerre. Sais-tu bien ce qu'est la guerre? » Et moi j'ai dit, bien sûr que je le sais, à la guerre les drapeaux flottent au vent et le tambour fait rantanplan...

Il ne pouvait s'attarder, il avait un long chemin à parcourir. Lorsqu'il lui dit adieu, elle pleura.

Le lendemain, à l'aube, lorsque le surveillant des carrières souffla dans sa trompe pour donner le signal, l'homme sans nom était à son poste, devant sa charrette.

Trois jours plus tard, à la même heure, il revint frapper à la fenêtre. Maria Christine étouffa un cri de surprise et de joie. Elle avait cru qu'il ne reviendrait pas.

– Mère a dit que j'avais rêvé, murmura-t-elle. Elle dit que, souvent, dans les rêves, des gens viennent qui ne se montrent pas le jour. Grand-père et grand-mère sont au ciel depuis longtemps et s'ils viennent la nuit, alors c'est un rêve. Es-tu au ciel?

– Non, dit l'homme sans nom. Je suis sur terre. Je suis vivant.

– Alors pourquoi ne viens-tu pas le jour?

– Le jour, mon cheval marche d'un pas si lent, répondit l'homme sans nom, mais la nuit on dirait le cheval du vent, il fait cinq cents milles en une heure de temps.

Maria Christine hocha la tête en signe d'intelligence, elle aimait l'idée d'un cheval fendant les airs. L'image lui était familière. Et de sa voix fluette, elle se mit à chanter :

Mais voici la maison du roi,
Hérode, penché, les voit...

Puis elle reprit :

– La première fois que je t'ai entendu frapper, j'ai pensé que c'était Hérode et je ne voulais pas le voir. Pourquoi as-tu enfoncé ton chapeau si bas? Es-tu le roi Hérode?

– Non, tu sais bien qui je suis.

– Oui, je le sais et je n'ai pas peur, je reconnais ta voix. Et demain, si Mère dit encore que c'était un rêve...

– Alors ce sera un rêve, dit l'homme sans nom, d'une voix douce et pénétrante.

Maria Christine se tut. Elle pressentait obscurément qu'elle devait garder secrètes les visites nocturnes de son père.

L'homme sans nom lui baisa le front et les yeux.

– Où est le cheval? demanda l'enfant.

– Là, tout près. Écoute bien et tu l'entendras renâcler dans la nuit, fit l'homme sans nom qui disparut derrière le bosquet d'aulnes.

Il revint. A la troisième escapade il escaladait la paroi d'un pas sûr. Tout danger semblait écarté. Puis il traversa ses terres; aux abords du domaine il jaugea les blés et les avoines : la charrue et la herse avaient fait leur travail. Il revint encore maintes fois. Les dialogues nocturnes avec son enfant étaient la seule consolation que lui prodiguait la vie.

L'idée de renoncer à jamais à Maria Agneta lui était pourtant intolérable. Il s'efforçait de ne pas penser à elle. L'esclave de l'évêque, l'homme au front marqué du signe de l'infamie n'avait plus de bien-aimée, seulement une enfant.

Entre-temps Christian von Tornefeld avait fait glorieusement parler de lui.

Au début, les courriers qui changeaient de montures au domaine hochaient la tête ou haussaient les épaules lorsque Maria Agneta s'informait de messire von Tornefeld qui avait rallié l'armée, accompagné de deux valets. Personne ne le connaissait. Mais au bout de quelques semaines, son nom était sur toutes les lèvres :

– Tornefeld? Ah oui, un Tornefeld s'est distingué lors d'une patrouille...

– Si c'est du porte-drapeau Tornefeld, de la cavalerie du Götaland que vous parlez, il a fait montre d'une telle bravoure à Jeresno, lors de la traversée du fleuve face à l'ennemi, qu'après la bataille, son commandant lui a serré la main devant tous les officiers...

– Sa Majesté lui a fait l'honneur d'accepter un livre de lui, on prétend qu'il s'agit d'une bible du temps du roi Gustave...

– Tornefeld? fit un courrier deux semaines plus tard. Celui qui, à Batjurin, a pris à l'ennemi quatre canons de campagne et tous ses fourgons à munitions? Pour sûr que je le connais...

Quelques jours à peine s'écoulèrent.

– Sa Majesté a nommé le porte-drapeau capitaine de cavalerie...

Maria Agneta accueillait ces nouvelles avec joie et fierté; elle reprenait confiance également : tant d'éclats et de hauts faits signifiaient que la paix n'était plus bien loin. Et lorsque la nouvelle lui parvint que les Suédois avaient remporté une nouvelle victoire à Gorskwa et qu'au soir de la bataille, le roi avait pris dans ses bras et baisé sur les deux joues, en présence de toute l'armée, Christian von Tornefeld, devenu commandant des dragons de Småland, elle se dit que cette fois la guerre était finie; le Moscovite n'oserait plus se mesurer à l'armée suédoise et elle reverrait bientôt son Christian.

Puis vint un temps où les courriers eurent moins de nouvelles à donner. L'armée suédoise était devant les palissades de Poltava, la forteresse.

Une nuit, vers la fin de juillet, l'homme sans nom aperçut Maria Agneta.

Il venait de parler avec son enfant, comme il l'avait fait tant de fois, et il allait se glisser hors du jardin quand il entendit un bruit. Il s'arrêta et se baissa. On venait d'ouvrir une fenêtre à l'étage. Maria Agneta se pencha dans la nuit.

L'homme sans nom se tenait immobile parmi les ormes, il n'osait respirer mais son cœur battait à tout rompre. Il était sûr qu'elle allait le voir mais elle ne le vit pas, elle suivait des yeux les nuages qui glissaient dans le ciel. Le clair de lune ruisselait sur ses cheveux et le long de ses épaules. Elle inspirait à longs traits l'air de la nuit. Dans le silence du jardin on entendait le chant des grillons. Un oiseau qui s'envola frôla le feuillage des ormes.

La fenêtre se referma et l'image disparut. L'homme sans nom, envoûté, ne put détourner le regard et resta immobile un long moment. Puis il s'enfuit.

C'était lui-même qu'il fuyait mais ses pensées endiablées ne le laissèrent pas en paix, il leur livra bataille tout le jour tandis qu'il haletait de la carrière aux chaufours et des chaufours à la carrière. Un grand trouble était en lui. Il l'avait vue, si proche! Il ne pouvait oublier l'image de celle qui se penchait dans la nuit.

Ne l'avait-elle pas aimé sept années durant? Ne pouvait-elle lui pardonner, au nom de cet amour si grand, ce qu'il avait commis pour la conquérir?

Il l'avait trompée, il lui avait menti. Mais s'il lui disait tout, à présent : le bonheur des premiers temps, et comment sa témérité l'avait conduit de la félicité indicible à cette fin misérable – peut-être aurait-il son pardon ou quelque parole de consolation? Mais si elle reculait d'effroi à la vue de son front, si elle le maudissait, si elle le repoussait à jamais... ?

Dans son cœur enfiévré, une seule certitude : il ne pouvait mener cette existence plus longtemps.

Le soir, sa décision était prise : il irait la trouver, il lui révélerait son infortune, il lui avouerait tout ce qu'il avait tu sept années durant.

Mais cela ne devait pas être. Cette grâce ne lui fut pas accordée : le ciel ne le permit pas.

La même nuit, alors que l'homme sans nom escaladait la paroi, une pierre se détacha sous ses pieds. Il glissa, tenta de trouver une prise puis tomba dans le précipice.

En bas, les membres brisés, il ne put ni crier ni bouger; chaque respiration lui faisait mal.

Vers minuit un gardien portant une lanterne le découvrit.

– Que fais-tu là? s'étonna-t-il. Que t'est-il arrivé?

L'homme sans nom, du doigt, montra la paroi rocheuse.

– Tu voulais t'enfuir? reprit le gardien. Tu vois ce qu'il t'en coûte.

Il éclaira le visage de l'homme sans nom et, voyant sur ses joues et ses lèvres la pâleur bleue de la mort, il posa la lanterne près de lui et dit :

– Reste ici, ne bouge pas! Je vais chercher le chirurgien.

L'homme sans nom savait que c'était la fin. Un seul vœu, une seule pensée le hantait. On devait dire à son enfant qu'il était mort. Il ne fallait pas qu'elle croie, ne le voyant plus venir, que son père l'avait oubliée. Il fallait aussi qu'elle dise un Notre Père pour son âme.

– Pas le chirurgien! souffla-t-il. Un prêtre!

Il entendit des pas qui s'éloignaient, puis des pas qui s'approchaient. Il ouvrit les yeux et vit, penché au-dessus de lui, un homme en habit de bure.

Il tenta de se redresser.

– Mon père! fit-il d'une voix haletante. Un vieil abcès doit crever en moi, mon cœur est lourd de méfaits. Je veux te les confesser.

– Oui, capitaine! fit une voix familière. Te voilà moulu par la pierre comme saint Étienne. Tu dois mourir, capitaine. Résigne-toi!

L'homme sans nom se laissa retomber et ferma les yeux. C'était Feuerbaum, son ancien compagnon qui allait le confesser!

– Prends congé de ce monde! prêcha le moine défroqué. Il n'est qu'apparence trompeuse et ses joies sont vaines. Et renonce à ton or, renonce à tes richesses, tu ne peux les emporter dans l'éternité...

L'homme sans nom comprit qu'il devait mourir sans confession. Car Feuerbaum ne voulait entendre qu'une chose : le nom de l'endroit où son ancien capitaine avait caché les guldens et les ducats qu'il avait reçus jadis en partage.

– Sauve-toi de l'enfer et de sa fournaise, capitaine. Ton obstination te perdra! le pressa le moine défroqué. Ton or, qui ne t'est rien, pourrait sauver ton prochain. Renonce à lui et ton âme sera l'alouette matinale qui vole droit aux cieux.

Un râle franchit les lèvres de l'homme sans nom.

– Ne veux-tu pas jouer quelque tour au diable? proposa Feuerbaum. Termine en beauté, fais œuvre pie. Dis où tu as caché ton or, le diable sera attrapé et Dieu te tendra les bras.

L'homme sans nom se taisait.

– Eh bien, va en enfer! cria Feuerbaum avec colère. Et que dix mille démons se disputent ton âme!

Mais celui qui agonisait ne l'entendait plus. Quelqu'un d'autre était là, immobile à ses côtés. Une figure silencieuse, elle aussi familière : l'ange à l'épée, lequel, jadis dans les nuées, l'avait accusé par trois fois.

– C'est toi, fit l'homme sans nom sans bouger les lèvres. Écoute-moi. J'ai maintes fois songé au jugement de Dieu, mais je n'en avais pas compris le sens, c'était trop difficile. A présent je crois comprendre. Tu as jadis intercédé pour moi, fais-le une nouvelle fois. Je n'ai qu'un vœu : ma petite fille ne doit pas croire que je l'ai oubliée. Qu'on lui dise que je suis mort. Mais qu'elle ne me pleure pas, je ne le veux pas. Et qu'elle dise un Notre Père pour mon âme...

L'ange de la mort leva les yeux vers les étoiles. Il se tenait debout, telle une ombre; il inclina son visage austère et sublime en signe d'acquiescement.

Le lendemain, vers midi, un officier suédois qui portait le bras en écharpe vint au domaine annoncer la nouvelle de la bataille de Poltava. L'armée était anéantie, le roi en déroute; parmi les soldats tombés, on comptait le commandant Christian von Torne-feld, l'orgueil de l'armée suédoise.

Maria Agneta, le visage figé, écouta en silence. A l'hébétude du premier instant succéda en elle une douleur si intense qu'elle ne put pleurer.

C'est seulement lorsqu'elle fut dans sa chambre qu'elle fondit en larmes.

Vers le soir, elle manda l'enfant. Lorsque Maria Christine entra dans la pièce, elle la prit dans ses bras et couvrit son visage de baisers.

– Mon enfant! dit-elle doucement. Ton père est mort à la guerre, tu ne le reverras plus. On l'a enterré voici trois semaines. Joins les mains et dis un Notre Père pour le repos de son âme!

Maria Christine la regarda et secoua la tête. Elle ne voulait ni ne pouvait le croire.

– Il reviendra, dit-elle.

Les yeux de Maria Agneta s'emplirent à nouveau de larmes.

– Non, il ne reviendra pas, dit-elle tristement. Plus jamais, plus jamais il ne reviendra, entends-tu? Il est au ciel. Joins les mains, un enfant doit obéir : il t'a aimée comme je t'aime, ma petite perle, tu vas dire un Notre Père pour le repos de son âme...

Maria Christine, obstinée, secouait la tête. C'est

alors qu'elle vit passer sur la grand-route une charrette portant un cercueil : elle venait de l'évêché...

Elle joignit les mains.

– Notre Père qui êtes aux Cieux, récita-t-elle. Que votre nom soit sanctifié. Que votre règne arrive – je prie pour ce pauvre homme couché dans ce cercueil et que personne ne pleure. Donnez-lui le salut éternel!... Et ne nous laisse pas succomber à la tentation mais délivre-nous du mal, ainsi soit-il.

La charrette qui portait l'homme sans nom à sa dernière demeure passa lentement sous les fenêtres de la maison.

Table

ACHEVÉ D'IMPRIMER SUR LES PRESSES
DE COX & WYMAN LTD. (ANGLETERRE)

N° d'édition : 1874
Dépôt légal : octobre 1988
Nouveau tirage : novembre 1993
Imprimé en Angleterre